전면 개정판

독해의 확실한 해결책

THIS IS READING 4

THIS IS READING 전면 개정판 ④

지은이 넥서스영어교육연구소
펴낸이 임상진
펴낸곳 (주)넥서스

출판신고 1992년 4월 3일 제311-2002-2호 2-10
10880 경기도 파주시 지목로 5
Tel (02)330-5500 Fax (02)330-5555

ISBN 979-11-5752-772-4 54740
979-11-5752-768-7 (SET)

www.nexusEDU.kr
NEXUS Edu는 넥서스의 초·중·고 학습물 전문 브랜드입니다.

전면 개정판

THIS IS READING

독해의
확실한 해결책

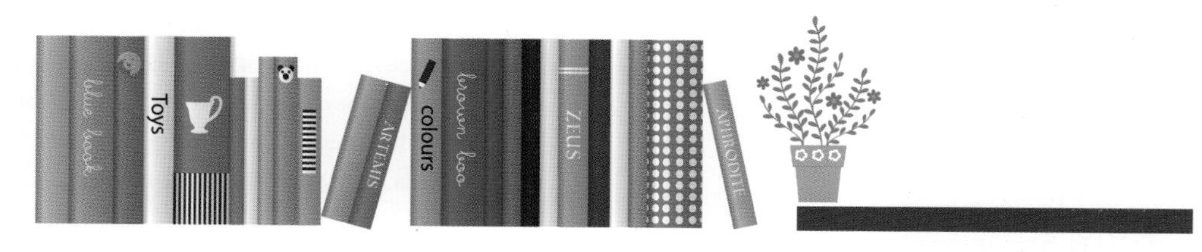

넥서스영어교육연구소 지음

4

NEXUS Edu

완전 새로운 전면 개정판 소개

1

누구나 관심 있고 흥미로운 소재의 다양한 지문을 실었습니다.

2

QR 코드를 스캔만 하면 책 전체 모든 지문을 생생한 원어민의 발음으로 들을 수 있습니다.

3

지문을 읽을 때 그때그때 꼭 알아야 할 필수 문법을 예문과 함께 정리했습니다. 학교 내신 대비뿐만 아니라 모든 문법 문제에 자신감을 키워 주는 필수 문법입니다.

01 Mystery from the Seas

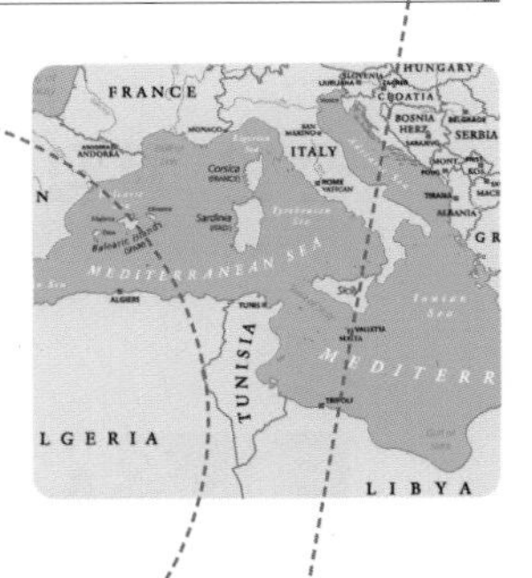

The Sea Peoples were responsible for major changes in the Eastern Mediterranean around 1200 BC. They attacked and destroyed almost all the major powers in the region, including the Hittite Empire, until their defeat by Egypt. The fall of these major powers helped in the rise of Greek and Roman civilization. However, the exact identity of the Sea Peoples remains a mystery to this day.

The attacks by the Sea People disrupted the historical records in the region. Almost all the historical records we have about them are Egyptian records. These say they were several tribes from islands in the middle of the sea. One main theory is that the Sea Peoples came from today's Greece or Turkey. (A) But their artifacts and weapons don't match well with those of Greece and Turkey of that era. (B) As a clue, they often traveled with their families and possessions in carts. (C) The theory is that they were escaping their poor conditions after the fall of their societies.

Another theory is that the Sea Peoples were from the Tyrrhenian region. This includes southern Italy and the islands of Sicily and Sardinia. These certainly ________ as islands in the middle of the sea. But at least one tribe of Sea People, the Peleset, is thought to be the Philistines from the Old Testament. They were not from the middle of the sea but from the land next to Egypt. Given such little historical documentation, the mystery of the Sea Peoples continues.

Grammar Note

24행: say, believe, think 등의 특수한 수동태 형식
say, believe, think 등은 [주어+be동사+said[believed, thought]+to부정사]의 특수한 형태로 수동태를 만들 수 있음.
Mike is said to be living in Canada. (= It is said that Mike is living in Canada.)
마이크는 캐나다에 살고 있다고 한다.

26행: 전치사 Given
Given은 그 자체로 전치사이며 '~임을 감안할 때, ~를 고려할 때'라는 뜻으로 쓰임.
Given[=Considering] the bad conditions, he has done really well.
악조건을 감안하면 그는 정말 잘한 것이다.

* Sea Peoples: 해상 민족

10

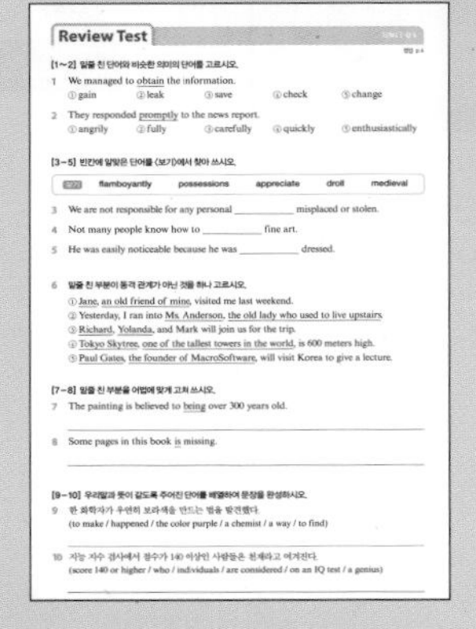

Review Test

4개의 지문으로 이루어져 있는 각 UNIT이 끝날 때마다 문법, 어휘, 문장 배열 등 다양한 10개의 문제를 풀면서 한 번 더 복습합니다.

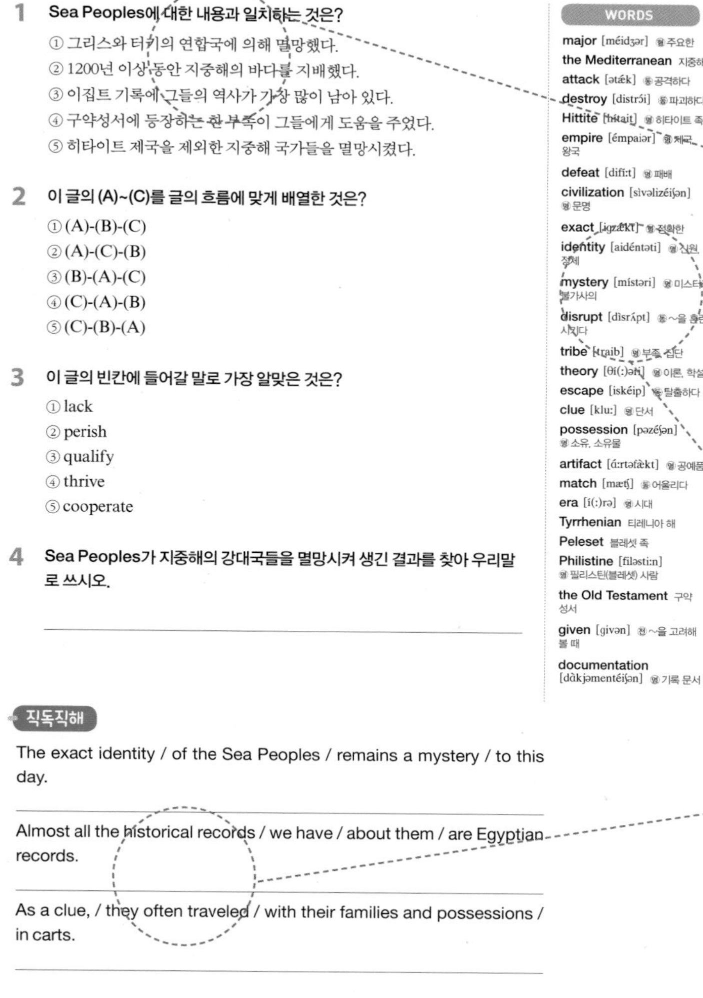

정답 p.2

1 Sea Peoples에 대한 내용과 일치하는 것은?

① 그리스와 터키의 연합국에 의해 멸망했다.
② 1200년 이상 동안 지중해의 바다를 지배했다.
③ 이집트 기록에 그들의 역사가 가장 많이 남아 있다.
④ 구약성서에 등장하는 한 부족이 그들에게 도움을 주었다.
⑤ 히타이트 제국을 제외한 지중해 국가들을 멸망시켰다.

2 이 글의 (A)~(C)를 글의 흐름에 맞게 배열한 것은?

① (A)-(B)-(C)
② (A)-(C)-(B)
③ (B)-(A)-(C)
④ (C)-(A)-(B)
⑤ (C)-(B)-(A)

3 이 글의 빈칸에 들어갈 말로 가장 알맞은 것은?

① lack
② perish
③ qualify
④ thrive
⑤ cooperate

4 Sea Peoples가 지중해의 강대국들을 멸망시켜 생긴 결과를 찾아 우리말로 쓰시오.

____

WORDS

major [méidʒər] 형 주요한
the Mediterranean 지중해
attack [ətǽk] 동 공격하다
destroy [distrɔ́i] 동 파괴하다
Hittite [hítait] 형 히타이트 족
empire [émpaiər] 명 제국, 왕국
defeat [difíːt] 명 패배
civilization [sìvəlizéiʃən] 명 문명
exact [igzǽkt] 형 정확한
identity [aidéntəti] 명 신원, 정체
mystery [místəri] 명 미스터리, 불가사의
disrupt [disrʌ́pt] 동 ~을 혼란시키다
tribe [traib] 명 부족, 집단
theory [θí(ː)əri] 명 이론, 학설
escape [iskéip] 동 탈출하다
clue [kluː] 명 단서
possession [pəzéʃən] 명 소유, 소유물
artifact [áːrtəfæ̀kt] 명 공예품
match [mætʃ] 동 어울리다
era [í(ː)rə] 명 시대
Tyrrhenian 티레니아 해
Peleset 블레셋 족
Philistine [fíləstiːn] 명 필리스틴(블레셋) 사람
the Old Testament 구약 성서
given [gívən] 전 ~을 고려해 볼 때
documentation [dɑ̀kjəmentéiʃən] 명 기록 문서

직독직해

The exact identity / of the Sea Peoples / remains a mystery / to this day.

____

Almost all the historical records / we have / about them / are Egyptian records.

____

As a clue, / they often traveled / with their families and possessions / in carts.

____

01 Mystery from the Seas 11

4

지문을 잘 이해했는지 확인하는 4문제로 지문에 따라 객관식, 주관식 다양하게 출제했습니다.

5

지문에 등장한 주요 어휘를 꼼꼼하게 정리했습니다.

6

문장을 의역하지 않고 바로바로 해석하는 훈련을 할 수 있습니다.

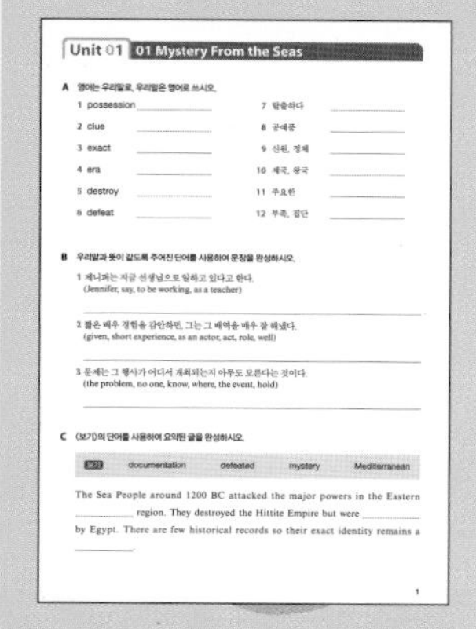

Workbook

완벽한 마무리를 위한 워크북.
지문 요약, 단어 확인, 통문장 영작 문제를 풀면서 실력을 다집니다.

Contents

Fairytale
colours
Toys
Toys
ARTEMIS
colours
ZEUS
APHRODITE

01 UNIT

01 Mystery from the Seas

The Sea Peoples were responsible for major changes in the Eastern Mediterranean around 1200 BC. They attacked and destroyed almost all the major powers in the region, including the Hittite Empire, until their defeat by Egypt. The fall of these major powers helped in the rise of Greek and Roman civilization. However, the exact identity of the Sea Peoples remains a mystery to this day.

The attacks by the Sea People disrupted the historical records in the region. Almost all the historical records we have about them are Egyptian records. These say they were several tribes from islands in the middle of the sea. One main theory is that the Sea Peoples came from today's Greece or Turkey. (A) But their artifacts and weapons don't match well with those of Greece and Turkey of that era. (B) As a clue, they often traveled with their families and possessions in carts. (C) The theory is that they were escaping their poor conditions after the fall of their societies.

Another theory is that the Sea Peoples were from the Tyrrhenian region. This includes southern Italy and the islands of Sicily and Sardinia. These certainly ________ as islands in the middle of the sea. But at least one tribe of Sea People, the Peleset, is thought to be the Philistines from the Old Testament. They were not from the middle of the sea but from the land next to Egypt. Given such little historical documentation, the mystery of the Sea Peoples continues.

* Sea Peoples: 해상 민족

Grammar Note

24행: say, believe, think 등의 특수한 수동태 형식

say, believe, think 등은 [주어+be동사+said[believed, thought]+to부정사]의 특수한 형태로 수동태를 만들 수 있음.

Mike is said to be living in Canada. (= It is said that Mike is living in Canada.)
마이크는 캐나다에 살고 있다고 한다.

26행: 전치사 Given

Given은 그 자체로 전치사이며 '~임을 감안할 때, ~를 고려할 때'라는 뜻으로 쓰임.

Given(= Considering) the bad conditions, he has done really well.
악조건을 감안하면 그는 정말 잘한 것이다.

정답 p.2

1 **Sea Peoples에 대한 내용과 일치하는 것은?**

① 그리스와 터키의 연합국에 의해 멸망했다.
② 1200년 이상 동안 지중해의 바다를 지배했다.
③ 이집트 기록에 그들의 역사가 가장 많이 남아 있다.
④ 구약성서에 등장하는 한 부족이 그들에게 도움을 주었다.
⑤ 히타이트 제국을 제외한 지중해 국가들을 멸망시켰다.

2 **이 글의 (A)~(C)를 글의 흐름에 맞게 배열한 것은?**

① (A)-(B)-(C)
② (A)-(C)-(B)
③ (B)-(A)-(C)
④ (C)-(A)-(B)
⑤ (C)-(B)-(A)

3 **이 글의 빈칸에 들어갈 말로 가장 알맞은 것은?**

① lack
② perish
③ qualify
④ thrive
⑤ cooperate

4 **Sea Peoples가 지중해의 강대국들을 멸망시켜 생긴 결과를 찾아 우리말로 쓰시오.**

____

WORDS

major [méidʒər] 형 주요한
the Mediterranean 지중해
attack [ətǽk] 동 공격하다
destroy [distrɔ́i] 동 파괴하다
Hittite [hítait] 명 히타이트 족
empire [émpaiər] 명 제국, 왕국
defeat [difí:t] 명 패배
civilization [sìvəlizéiʃən] 명 문명
exact [igzǽkt] 형 정확한
identity [aidéntəti] 명 신원, 정체
mystery [místəri] 명 미스터리, 불가사의
disrupt [dìsrʌ́pt] 동 ~을 혼란시키다
tribe [traib] 명 부족, 집단
theory [θí(:)əri] 명 이론, 학설
escape [iskéip] 동 탈출하다
clue [klu:] 명 단서
possession [pəzéʃən] 명 소유, 소유물
artifact [á:rtəfæ̀kt] 명 공예품
match [mætʃ] 동 어울리다
era [í(:)rə] 명 시대
Tyrrhenian 티레니아 해
Peleset 블레셋 족
Philistine [filəsti:n] 명 필리스틴(블레셋) 사람
the Old Testament 구약성서
given [givən] 전 ~을 고려해 볼 때
documentation [dàkjəmentéiʃən] 명 기록 문서

직독직해

The exact identity / of the Sea Peoples / remains a mystery / to this day.

____

Almost all the historical records / we have / about them / are Egyptian records.

____

As a clue, / they often traveled / with their families and possessions / in carts.

____

02 Mass Culture

The movies and TV programs we watch. The songs we hear on the radio. The clothes we wear and the attitudes we adopt. And now the social media we use more and more every day. What do all of these have in common? They are all part of pop culture, the ideas and things mainstream society likes. It is what is common to a culture. Pop culture is all around us and both reflects and influences our daily life on a constant basis.

Pop culture differs from high culture. The latter is not widely available and is familiar only to the social elite. The fine arts, stage opera, live theater, and high intellectual ideas are examples. They require lots of experience, training, and reflection to be appreciated. In comparison, pop culture is easier to appreciate because it is simpler and more familiar.

Pop culture also differs from folk culture. Folk culture is traditional and unchanging. It is the way things used to be in an earlier age. And it is ________ whereas pop culture is new and fresh. Pop culture is what is current in a society. It deals with nearly everything, politics, fashion, technology, even the language we use. That is part of its appeal. Pop culture has relevance to our present circumstances. But because those circumstances keep changing, pop culture can become outdated. Nevertheless, the mass media of the modern age will continue to supply us with pop culture.

Grammar Note

9, 19행: 관계대명사 what
관계대명사 what은 자체에 선행사를 포함하여(the thing which, the man who 등) 명사절을 이끌며 '~하는 것'으로 해석.

To be a teacher is what I desire most.
선생님이 되는 것은 내가 가장 바라는 것이다.

11행: 후자를 나타내는 the latter
앞의 문장의 후자를 나타낼 경우 the latter, 전자를 나타낼 경우 the former를 사용.

We keep horses and cattle: the former for riding, the latter for food.
우리는 말과 소를 기르고 있다: 전자는 타기 위함이며 후자는 먹기 위함이다.

정답 p.2

1 이 글의 요지로 가장 알맞은 것은?

① 대중문화는 민속 문화와 공통점이 많다.
② 대중문화를 이해하는 것은 많은 노력이 필요하다.
③ 대중문화는 고급문화에 비해 질이 낮다고 평가된다.
④ 대중문화는 정치를 다루는 데 있어 가장 소극적이다.
⑤ 대중문화는 고급문화와 민속 문화와는 다른 특징을 갖는다.

2 이 글의 밑줄 친 They가 가리키는 것은 무엇인가?

① Pop culture
② The social elite
③ Artistic talent
④ Items of high culture
⑤ The general public

3 이 글의 빈칸에 들어갈 말로 가장 알맞은 것은?

① stable
② efficient
③ dynamic
④ desperate
⑤ independent

4 대중문화가 구식이 되어 가는 이유를 찾아 우리말로 쓰시오.

____

WORDS

clothes [klouðz] 명 옷
attitude [ǽtitjùːd] 명 태도, 자세
adopt [ədɑ́pt] 동 채택하다
have in common 공통으로 ~을 가지다
pop culture 대중문화
mainstream [méinstrìːm] 형 주류의
common [kɑ́mən] 형 공통의, 일반적인
reflect [riflékt] 동 반영하다
influence [ínfluəns] 동 ~에 영향을 주다
constant [kɑ́nstənt] 형 지속적인
high culture 고급문화
available [əvéiləbl] 형 이용할 수 있는
fine arts 순수 예술
require [rikwáiər] 동 요구하다
reflection [riflékʃən] 명 심사숙고; 반영
appreciate [əpríːʃièit] 동 진가를 알다; 이해하다
in comparison 비교하면
folk culture 민속 문화
current [kə́ːrənt] 형 지금의, 현재의
deal with 다루다, 대처하다
appeal [əpíːl] 명 호소
have relevance to ~에 관련되어 있다
circumstance [sə́ːrkəmstæ̀ns] 명 상황, 환경
outdated [àutdéitid] 형 구식의

직독직해

Now / the social media / we use / more and more / every day.

____

Pop culture reflects and influences / our daily life / on a constant basis.

____

The mass media / of the modern age / will continue / to supply us with pop culture.

____

03 The Color Purple

What two colors must be mixed together in order to get purple? Many readers probably know the answer — red and blue. While it may seem ⓐ easy, it is in fact very difficult to produce purple paint or purple dye.

In medieval times, shells were used to ⓑ making dye. A dye artist had to obtain rare red shells and rare blue shells to create the color purple. When the dye artist was able to mix the perfect purple dye, a queen or king of that time would purchase it to make their regal robes. They would flamboyantly show it off among ⓒ the poor who could only afford to wear brown, gray, or other drab-colored clothing.

In 1856, a chemist happened to find a way to make the color purple and began selling the color to the world. At the time, British society only wore dark, droll colors. ⓓ All at once, people started wearing the color purple. By the 1920s, many different colors were ________ for clothing, and the fashion world came alive.

Purple power reached its peak of popularity in the 1960s, and the word purple has been used in many different fields such as music, the military, and politics. A singer, Prince, released a single ⓔ entitled *Purple Rain*. 'The Purple Heart' is a U.S. military decoration awarded in the name of the President of the U.S.A. to those who have been wounded or killed while serving.

Grammar Note

9, 10행: 과거의 습관을 나타내는 would

would는 '~하곤 했다'는 뜻으로 과거의 습관 · 반복적 행동을 의미.

When in childhood, we **would** play hide and seek together.
우리는 어렸을 때 함께 숨래잡기를 하곤 했다.

13행: happen의 용법

[happen+to부정사]는 '우연히 ~하다'는 의미를 갖는 표현.

I **happened** to see an old friend at the party.
나는 파티에서 우연히 옛 친구를 보았다.

1 이 글의 내용과 일치하지 않는 것은?

① 조개껍데기는 색채 염료를 만드는 데 사용된다.
② 보라색은 빨간색과 파란색을 섞으면 나온다.
③ 영국 사회는 1800년대 초에 보라색을 거의 입지 않았다.
④ 보라색은 지금까지 미국 군인이 가장 좋아하는 색이다.
⑤ 보라색은 1960년대에 매우 유행하는 색이었다.

2 이 글의 빈칸에 들어갈 말로 가장 알맞은 것은?

① edible ② drastic
③ dense ④ earnest
⑤ available

3 이 글의 밑줄 친 ⓐ~ⓔ 중 어법상 틀린 것은?

① ⓐ ② ⓑ
③ ⓒ ④ ⓓ
⑤ ⓔ

4 빈칸에 들어갈 말로 가장 알맞은 것은?

In medieval times, purple dye was ________ and expensive, so only royalty could afford to ________ it for their clothes.

① widespread, try
② unknown, abandon
③ accessible, consider
④ plentiful, get
⑤ uncommon, buy

WORDS

mix [miks] 동 섞다
purple [pə́:rpl] 명 보라색
dye [dai] 명 염료, 물감
medieval [mì:dií:vəl] 형 중세의
shell [ʃel] 명 (조개) 껍질
obtain [əbtéin] 동 획득하다
rare [rɛər] 형 드문, 희귀한
purchase [pə́:rtʃəs] 동 구입하다
regal [rí:gəl] 형 왕의
robe [roub] 명 옷, 예복
flamboyantly [flæmbɔ́iəntli] 부 화려하게
show off 과시하다
afford [əfɔ́:rd] 동 ~할 여유가 있다
drab [dræb] 형 칙칙한
chemist [kémist] 명 화학자
droll [droul] 형 우스꽝스러운
popularity [pɑ̀pjəlǽrəti] 명 인기
release [rilí:s] 동 발표하다
entitle [intáitle] 동 제목을 붙이다
decoration [dèkəréiʃən] 명 훈장; 장식
wounded [wú:ndid] 형 다친, 부상을 입은
serve [sə:rv] 동 복무하다

직독직해

What two colors / must be mixed together / in order to get purple?

At the time, / British society only wore / dark, droll colors.

The word purple / has been used / in many different fields.

04 Off the Chart IQ

Individuals who score 140 or higher on an IQ test are considered a genius or near genius. Some experts estimate that two percent of the world's population is geniuses. Elise Tan Roberts is definitely one. Her IQ score was graded at 156. That is only four points lower than that of Albert Einstein. What is even more ⓐ [incredible / incredibly] is that Elise is not a research chemist or a genetic physicist. Elise was just two years old when she became the youngest member of Mensa International. Mensa is the oldest and most well-known high IQ society in the world. To become a member, an individual must score within the top two percentile of any approved standardized intelligence test.

Elise counted to ten by age 16 months and surprisingly came to do the same in Spanish a few months later. She could also name 35 capital cities and identify three types of triangles. Other ________ of Elise's superior intelligence were noticed at her local playgroup. A mother ⓑ [who / whose] child went to the same playgroup as Elise did gave Elise a toy and told her it was a rhinoceros. The brilliant girl promptly said, "That's not a rhinoceros. It's a triceratops — a kind of dinosaur." Elise's parents took her to Professor Joan Freeman, a specialist in educational psychology. Following a complex 45-minute intelligence test, Professor Freeman reported ⓒ [that / what] Elise was more than just clever and intelligent — she is truly "gifted."

Grammar Note

1행: [주어+동사]의 수 일치
동사의 단 · 복수형은 주어의 수와 반드시 일치시켜야 함.

The cookies on the plate **are** for Susie.
접시 위의 쿠키는 수지를 위한 것이다.

6행: 부정대명사 one
one은 앞에 언급된 대상과 같은 종류의 다른 대상을 가리킴.

Sam has a cat. I want to have **one**, too.
샘은 고양이가 한 마리 있다. 나도 (고양이) 한 마리를 갖고 싶다.

정답 p.3

1 이 글의 내용과 일치하지 않는 것은?

① 아인슈타인의 지능 지수는 엘리스의 지능 지수보다 높다.
② 엘리스는 유아 때 코뿔소와 공룡의 차이점을 구분했다.
③ 지능 지수의 검사 결과는 엘리스가 천재라는 것을 보여 준다.
④ 엘리스는 유아 때 스페인어로도 수를 셀 수 있었다.
⑤ 엘리스의 부모님 역시 멘사 회원으로 등록되어 있다.

2 이 글의 빈칸에 들어갈 말로 가장 알맞은 것은?

① areas
② guideposts
③ opportunities
④ predictions
⑤ signs

3 ⓐ, ⓑ, ⓒ 각 괄호 안에서 가장 알맞은 어법 표현은?

	ⓐ	ⓑ	ⓒ
①	incredible	who	what
②	incredibly	who	that
③	incredible	whose	that
④	incredibly	whose	that
⑤	incredibly	who	what

4 멘사 회원이 되기 위한 요건은 무엇인지 찾아 우리말로 쓰시오.

____

WORDS

individual [indəvídʒuəl] 명 개인
score [skɔːr] 동 ~점수를 얻다
genius [dʒíːnjəs] 명 천재
estimate [éstəmeit] 동 추정하다
grade [greid] 동 ~의 등급을 매기다
chemist [kémist] 명 화학자
genetic physicist 유전 물리학자
percentile [pərséntail] 명 백분위수
approve [əprúːv] 동 ~을 승인하다, 허가하다
standardize [stǽndərdàiz] 동 ~을 표준에 맞추다
capital [kǽpitəl] 명 수도; 자본
identify [aidéntəfài] 동 식별하다
intelligence [intélidʒəns] 명 지능
rhinoceros [rainásərəs] 명 코뿔소
promptly [prámptli] 부 신속히, 즉시
triceratops [traisérətàps] 명 트리케라톱스
specialist [spéʃəlist] 명 전문가
psychology [saikálədʒi] 명 심리학
report [ripɔ́ːrt] 동 ~을 알리다, 보고하다
gifted [gíftid] 형 천부의 재능을 지닌

직독직해

Some experts estimate that / two percent of the world's population / is geniuses.

____

Mensa is / the oldest and most well-known / high IQ society / in the world.

____

Elise was / more than / just clever and intelligent.

____

Review Test

정답 p.4

[1~2] 밑줄 친 단어와 비슷한 의미의 단어를 고르시오.

1 We managed to obtain the information.
① gain ② leak ③ save ④ check ⑤ change

2 They responded promptly to the news report.
① angrily ② fully ③ carefully ④ quickly ⑤ enthusiastically

[3-5] 빈칸에 알맞은 단어를 〈보기〉에서 찾아 쓰시오.

보기	flamboyantly	possessions	appreciate	droll	medieval

3 We are not responsible for any personal ____________ misplaced or stolen.

4 Not many people know how to ____________ fine art.

5 He was easily noticeable because he was ____________ dressed.

6 **밑줄 친 부분이 동격 관계가 아닌 것을 하나 고르시오.**

① Jane, an old friend of mine, visited me last weekend.
② Yesterday, I ran into Ms. Anderson, the old lady who used to live upstairs.
③ Richard, Yolanda, and Mark will join us for the trip.
④ Tokyo Skytree, one of the tallest towers in the world, is 600 meters high.
⑤ Paul Gates, the founder of MacroSoftware, will visit Korea to give a lecture.

[7-8] 밑줄 친 부분을 어법에 맞게 고쳐 쓰시오.

7 The painting is believed to being over 300 years old.

____

8 Some pages in this book is missing.

____

[9-10] 우리말과 뜻이 같도록 주어진 단어를 배열하여 문장을 완성하시오.

9 한 화학자가 우연히 보라색을 만드는 법을 발견했다.
(to make / happened / the color purple / a chemist / a way / to find)

____

10 지능 지수 검사에서 점수가 140 이상인 사람들은 천재라고 여겨진다.
(score 140 or higher / who / individuals / are considered / on an IQ test / a genius)

____

02 UNIT

05 Blanket of Pasta

Lasagna is one of the oldest pasta dishes of Italy, first mentioned centuries ago. It is made by alternating layers of lasagna pasta sheets with layers of sauce in a deep dish. The dish is then put in an oven and baked. It is recommended that the bottom of the dish be covered in sauce to avoid the pasta sheet sticking to it. Lasagna is served by cutting into squares. As a family dish, lasagna is associated with home cooking and family-style eating.

The ________ for lasagna can vary by the region in Italy. The sauce can be a thick Ragu sauce made from tomatoes, onions, carrots, celery, pork or beef. Another type of sauce is Béchamel sauce made from flour, butter, and milk. Some recipes call for ricotta cheese while others call for mozzarella cheese. But most recipes recommend Parmesan cheese as a second cheese. Vegetables such as spinach or zucchini and even mushrooms can be added.

The lasagna pasta sheets also come in several varieties. Traditional recipes use pasta sheets boiled before it is baked. One tip is not to over-boil them because they will cook again in the oven. There are lasagna pasta sheets which are no-boil. They don't require any boiling and are placed in the baking dish in their dry form. This saves time and effort, but some people consider them not as good.

* lasagna: 라자냐, 파스타의 일종

Grammar Note

6행: that절 뒤의 should가 생략될 수 있는 경우

제안 · 요구 · 고집 · 명령을 나타내는 동사 뒤, 당위 · 필요성을 나타내는 형용사 뒤에서 that절의 should는 생략하고 동사 원형을 쓸 수 있음.

동사: order, suggest, insist, demand, recommend 등

형용사: essential, important, necessary, natural 등

The movie critic recommends that we (should) watch the movie.
그 영화 평론가는 우리들이 그 영화를 봐야 한다고 추천한다.

It is necessary that you (should) answer the question.
네가 그 질문에 답해야 하는 것은 꼭 필요하다.

정답 p.5

1 이 글의 내용과 일치하지 않는 것은?

① 라자냐는 지역마다 다양한 재료가 들어간다.
② 라자냐는 버터가 들어가는 소스가 첨가될 수 있다.
③ 라자냐에 들어가는 치즈로 파마산 치즈가 가장 선호된다.
④ 라자냐 파스타 시트는 삶지 않은 마른 형태도 가능하다.
⑤ 라자냐는 음식으로 제공될 때 사각형 모양의 형태를 띤다.

2 이 글의 밑줄 친 alternating과 의미가 가장 가까운 것은?

① absorbing
② carrying
③ switching
④ adorning
⑤ skipping

3 이 글의 빈칸에 들어갈 말로 가장 알맞은 것은?

① interests
② intervals
③ inspections
④ ingredients
⑤ influences

4 라자냐 파스타 시트를 많이 삶을 필요가 없는 이유를 찾아 우리말로 쓰시오.

____

WORDS

lasagna [ləzɑ́:njə] 명 라자냐
pasta [pɑ́:stə] 명 파스타
dish [diʃ] 명 음식, 요리; 접시
layer [léiər] 명 층
sheet [ʃi:t] 명 한 장, 판
bake [beik] 동 굽다
recommend [rèkəménd] 동 추천하다
bottom [bátəm] 명 바닥
avoid [əvɔ́id] 동 피하다
stick to ~에 달라붙다
be associated with ~와 관련되다
flour [fláuər] 명 밀가루, 가루
recipe [résəpi:] 명 요리법
spinach [spínitʃ] 명 시금치
zucchini [zu:kí:ni] 명 주키니, 서양 호박의 한 품종
mushroom [mʌ́ʃru(:)m] 명 버섯
boil [bɔil] 동 끓이다, 삶다
place [pleis] 동 ~에 놓다
save [seiv] 동 절약하다

직독직해

Lasagna is one / of the oldest pasta dishes / of Italy.

____

Most recipes recommend / Parmesan cheese / as a second cheese.

____

This saves / time and effort, / but some people consider / them / not as good.

____

06 Throwing Away

Most of the world's old electronic goods are sitting in people's homes. Eventually, they will become electronic waste, or e-waste. While it is ideal to recycle it, most electronics today are not designed to be easily recycled. Plus they contain toxic heavy metals which are difficult to take out. Our old TVs, PCs, and cell phones will need to be thrown away at some point. And when they are, their destination can be a landfill, an incinerator, or a recycling center.

If e-waste ends up in a landfill, their toxic metals and chemicals can leak into the ground over time. Some European countries ban putting e-waste in landfills, but most countries don't have such a ban. (A) But this can release the toxins into the air, toxins such as lead, cadmium, and mercury. (B) Toxins in a landfill can enter the food chain and return to humans. (C) E-waste can also end up in an incinerator where it is burned. To prevent this, some incinerators have strict emissions controls. Unfortunately, many do not.

E-waste can go to a recycling center, and about 40% of the e-waste in the US does. But critics think that recycling is not worth the trouble. And they claim that many recycling centers illegally ship the e-waste to countries like India, China, and Nigeria for primitive recycling. For example, the e-waste might simply be burned in the open air.

* e-waste: 전자 제품 폐기물

Grammar Note

3행: or가 동격의 의미로 쓰일 때

or는 '선택'의 의미뿐 아니라, 동격(즉, 다시 말해서)의 의미로 쓰이기도 함.

My brother majors in anthropology, or the scientific study of people and their cultures.

우리 형은 인류학, 즉 사람들과 그들의 문화에 대한 과학적인 학문을 전공하고 있다.

22행: 형용사 worth

worth는 '~만큼의 값어치가 있는'이라는 뜻이며 형용사이지만 뒤에 목적어를 취함.

This painting is worth over $100,000.

이 그림의 가치는 10만 달러가 넘는다.

1 이 글의 주제로 가장 알맞은 것은?

① 다양한 유형의 e-폐기물
② e-폐기물을 재활용 하는 방법
③ e-폐기물의 양이 증가하는 이유
④ e-폐기물을 줄이는 것의 필요성
⑤ e-폐기물이 환경에 미치는 영향

2 이 글의 밑줄 친 ban과 의미가 가장 가까운 것은?

① relieve
② approve
③ prohibit
④ accept
⑤ permit

3 이 글의 (A)~(C)를 글의 흐름에 맞게 배열한 것은?

① (A)-(B)-(C)
② (A)-(C)-(B)
③ (B)-(A)-(C)
④ (B)-(C)-(A)
⑤ (C)-(B)-(A)

4 e-폐기물의 재활용에 대한 내용과 일치하는 것은?

① e-폐기물의 재활용에 모두 찬성하는 분위기이다.
② 나이지리아는 e-폐기물을 재활용하여 큰 수익을 올린다.
③ 인도는 합법적으로 e-폐기물을 수입하여 재활용한다.
④ 미국은 50% 미만의 e-폐기물을 재활용 센터로 보낸다.
⑤ 중국은 e-폐기물을 야외에서 태우는 것이 불법이다.

WORDS

throw away 버리다
electronic goods 전자 제품
waste [weist] ⓜ 쓰레기, 폐기물
ideal [aidí(:)əl] ⓐ 이상적인
recycle [ri:sáikl] ⓥ 재활용하다
contain [kəntéin] ⓥ 포함하다
toxic [táksik] ⓐ 유독한
heavy metal 중금속
destination [dèstənéiʃən] ⓜ 목적지
landfill [lǽndfil] ⓜ 쓰레기 매립지
incinerator [insínərèitər] ⓜ 소각로
end up in 결국에는 ~하게 되다
chemical [kémikəl] ⓜ 화학 물질
leak into ~에 새어 들어가다
release [rilí:s] ⓥ 방출하다
lead [led] ⓜ 납
cadmium [kǽdmiəm] ⓜ 카드뮴
mercury [mə́:rkjəri] ⓜ 수은
food chain 먹이 사슬
prevent [privént] ⓥ 예방하다
strict [strikt] ⓐ 엄격한
emission [imíʃən] ⓜ 방출, 배출
trouble [trʌ́bl] ⓜ 노력, 수고
claim [kleim] ⓥ 주장하다
illegally [ilí:gəli] ⓟ 불법으로
ship [ʃip] ⓥ (배로) 실어 나르다
primitive [prímitiv] ⓐ 원시의
precious metal 귀금속

직독직해

Most electronics today / are not designed / to be easily recycled.

Toxins / in a landfill / can enter the food chain / and return to humans.

For example, / the e-waste might simply be burned / in the open air.

---

07 Chinatown

ⓒ shutterstock/Jeff Whyte

The Chinese were the first Asian immigrants ⓐ to enter the United States. They immigrated to the U.S. in the 18th century. However, there have been claims stating that they were in America at an even earlier date. The first Chinese immigrants were wealthy, successful merchants, ⓑ along with skilled artisans, fishermen, and hotel and restaurant owners.

Large-scale immigration began in the mid 1800s during the California Gold Rush. By the year 1851, there were 25,000 Chinese ⓒ worked in California, mostly centered in and around the "Gold Rush" area and near San Francisco. During that time, more than half the Chinese in the U.S. lived in that region. These Chinese clustered into groups, working hard and living frugally. As the populations of these groups increased, they formed large ethnic enclaves called "Chinatowns" all over the country.

The first and most well-known Chinatown in the U.S., ⓓ without a doubt, was in San Francisco. The Chinatown in San Francisco has endured a century of earthquakes, fires, and urban renewal, ⓔ yet has remained in the same neighborhood maintaining the same rich culture. Chinatowns have traditionally been the places where Chinese Americans lived, worked, and shopped. ________ these cities were often overcrowded slum areas in the 1800s, the Chinatowns turned from crime and drug ridden areas to quiet, colorful tourist attractions by the mid 1900s.

* California Gold Rush: 1800년대 중반 캘리포니아 주로 금을 채취하기 위해 몰려든 현상

Grammar Note

10, 11행: 시간 부사구와 동사의 시제
현재완료 시제는 when이나 명확한 과거 시점 부사구와 함께 사용하지 않음.
When did you eat lunch?
((X) When have you eaten lunch?)
점심은 언제 먹었니?

21행: 동시 상황을 나타내는 분사구문
두 개의 절이 이어진 문장이 동시 상황을 나타낼 때 분사구문 형태로 표현할 수 있음.
My grandmother was sitting in an armchair knitting a hat.
우리 할머니는 팔걸이의자에 앉아 모자를 뜨고 있었다.

정답 p.6

1 이 글의 주제로 가장 알맞은 것은?

① 전 세계의 차이나타운
② 미국 차이나타운의 역사
③ 광산에서 일하는 중국인
④ 미국의 이민 정책
⑤ 차이나타운이 인기 있는 이유

2 이 글의 빈칸에 들어갈 말로 가장 알맞은 것은?

① However ② Although
③ As a result ④ In addition
⑤ Since

3 이 글에서 유추할 수 있는 내용은 무엇인가?

① 차이나타운은 샌프란시스코에서만 만들어졌다.
② 중국인 이민자들은 자신의 일에 만족했다.
③ 18세기에 미국 이민자들 중 중국인의 비율이 가장 높았다.
④ 샌프란시스코의 차이나타운은 지진으로 피해를 입었었다.
⑤ 중국인 이민자들은 일한 시간에 비해 낮은 급료를 받았다.

4 이 글의 밑줄 친 ⓐ~ⓔ 중 어법상 틀린 것은?

① ⓐ ② ⓑ
③ ⓒ ④ ⓓ
⑤ ⓔ

WORDS

immigrant [ímǝgrǝnt] 명 이민, 이민자
claim [kleim] 명 요구, 주장
wealthy [wélθi] 형 부유한, 부자의
merchant [mǝ́:rtʃǝnt] 명 상인
artisan [ɑ́:rtizǝn] 명 장인
region [ríːdʒǝn] 명 지역, 지방
cluster [klʌ́stǝr] 동 모여 있다
frugally [frúːgǝli] 부 검소하게
ethnic [éθnik] 형 민족의
enclave [énkleiv] 명 소수 민족 거주지
endure [indjúǝr] 동 견디다, 참다
urban [ǝ́:rbǝn] 형 도시의
renewal [rinjúːǝl] 명 재개발
remain [riméin] 동 남다, 머무르다
maintain [meintéin] 동 유지하다; 주장하다
overcrowded [óuvǝrkráudid] 형 붐비는
crime [kraim] 명 죄, 범죄
drug [drʌg] 명 약, 마약
ridden [rídn] 형 ~이 들끓는

직독직해

The Chinese were / the first Asian immigrants / to enter the United States.

These Chinese clustered / into groups, / working hard / and living frugally.

Chinatowns have traditionally been / the places / where Chinese Americans lived.

---

08 Underwater Forests

You may not know that there is an environment very similar to our rainforests that exists in our oceans. This environment is what we call "coral reefs." Coral reefs are created by tiny sea creatures called "coral polyps" which continually reproduce and expand. As they do so, more and more of these tiny animals are spread out to the point where they establish large communities. (A) When coral polyps die, they leave skeletons behind. The skeletons become the rock-like structures — our coral reefs.

(B) Just as birds live on trees in the jungle, fish and other sea life live in and around the coral. There are countless species of fish and other aquatic life that call <u>this</u> home. It takes hundreds and hundreds of years for a "coral forest" to form these communities that are large enough for all its inhabitants. (C) Because the coral polyps are tiny creatures and their skeletons are also very small, it takes decades or centuries for these reefs to form.

(D) Pollution, excess fishing, warming oceans, human development, and other environmental damage are killing the coral polyps, and therefore the coral reefs. This habitat for so much sea life is disappearing, and it has <u>dire</u> consequences not only for aquatic creatures but for the entire planet. (E) So next time you go snorkeling or scuba diving in the coral reefs, look at the miracle of colors, sizes, and shapes of all their inhabitants. Think of ways we can help protect their home.

Grammar Note

9행: 중복을 피하기 위해 사용하는 so

so는 앞에 언급된 말을 다시 반복하는 것을 피하기 위해 사용됨.

If you haven't checked the email yet, please do so immediately.

아직 이메일 확인을 안 했으면 즉시 해 주시기 바랍니다.

24행: 상관 접속사와 병치 구조

상관 접속사로 연결된 어구는 문법적으로 동등한 성분으로 연결함.

The boy understands not only English but Spanish.

(상관 접속사로 연결된 어구는 둘 다 명사)

그 소년은 영어뿐 아니라 스페인어도 이해한다.

* coral polyp: 산호충

정답 p.6

1 산호충에 대한 내용 중 사실이 아닌 것은?

① 산호충은 환경 오염으로 고통을 받고 있다.
② 산호충은 크기가 작은 생물이다.
③ 산호충은 끊임없이 번식하고 증가한다.
④ 산호충의 뼈대가 산호초를 만든다.
⑤ 산호충은 산호초로 변하기 위해 급속히 성장한다.

2 이 글의 밑줄 친 this가 가리키는 것은 무엇인가?

① the coral
② the jungle
③ aquatic life
④ the skeleton
⑤ the rainforest

3 이 글의 밑줄 친 dire와 의미가 가장 가까운 것은?

① timid
② dreadful
③ picky
④ prudent
⑤ literate

4 다음 문장이 들어가기에 가장 알맞은 곳은?

Things are changing for our coral reefs, unfortunately.

① (A) ② (B)
③ (C) ④ (D)
⑤ (E)

WORDS

- **rainforest** [reinfɔ́:rist] 명 열대 우림
- **coral reef** 산호초
- **creature** [krí:tʃər] 명 생물, 생명체
- **continually** [kəntínjuəli] 부 계속적으로
- **reproduce** [rì:prədjú:s] 동 번식하다
- **expand** [ikspǽnd] 동 확장하다
- **tiny** [táini] 형 아주 작은
- **spread out** 널리 퍼지다
- **establish** [istǽbliʃ] 동 세우다
- **countless** [káuntlis] 형 수많은
- **skeleton** [skélitən] 명 뼈대, 잔해
- **aquatic** [əkwǽtik] 형 수생의
- **inhabitant** [inhǽbitənt] 명 서식 동물
- **decade** [dékeid] 명 십 년간, 수십 년
- **pollution** [pəljú:ʃən] 명 오염
- **habitat** [hǽbitæ̀t] 명 서식지
- **consequence** [kɑ́nsəkwèns] 명 결과; 중요성
- **entire** [intáiər] 형 전체의
- **planet** [plǽnit] 명 행성, 혹성
- **miracle** [mírəkl] 명 기적

직독직해

There is / an environment / very similar / to our rainforests.

Fish and other sea life / live / in and around the coral.

Think of ways / we can help protect / their home.

Review Test

UNIT 02

정답 p.7

[1~2] 밑줄 친 단어와 반대 의미의 단어를 고르시오.

1 Germany is one of the <u>wealthiest</u> nations in the world.

① richest ② strongest ③ poorest ④ biggest ⑤ hardest

2 The technology is <u>primitive</u> and outdated.

① old ② impossible ③ available ④ advanced ⑤ realistic

[3~5] 빈칸에 알맞은 단어를 〈보기〉에서 찾아 쓰시오.

보기	frugally	establish	alternate	landfill	endure

3 You should ____________ layers of cream and chocolate to make the dessert.

4 The plan to build a new ____________ met strong opposition.

5 I was impressed that he lives very ____________ despite being very rich.

6 빈칸에 들어갈 수 있는 단어 중 다른 하나를 고르시오.

① It was not easy ____________ me to teach him how to use the software.
② It took 3 hours ____________ me to clean up the mess.
③ It is thoughtful ____________ you to remember my birthday.
④ The machine is used ____________ lifting heavy things.
⑤ The meeting continued ____________ 2 hours.

[7~8] 밑줄 친 부분을 어법에 맞게 고쳐 쓰시오.

7 The sculpture <u>is worth with</u> a million dollars.

____

8 When <u>have you cleaned</u> the house?

____

[9~10] 우리말과 뜻이 같도록 주어진 단어를 배열하여 문장을 완성하시오.

9 접시 밑바닥은 소스로 덮는 것을 권장한다.
(the bottom of the dish / covered / it is / that / recommended / be / in sauce)

____

10 대규모 이민은 캘리포니아의 골드러시 기간인 1800년대 중반에 시작되었다.
(in the mid 1800s / during / began / large-scale immigration / the California Gold Rush)

____

03 UNIT

09 Great Apes

Known as "people of the forest" in the Malay language, orangutans are the largest animals on earth ⓐ what live in trees. Found on the Indonesian islands of Sumatra and Borneo, these red-haired primates spend most of their time in the tree tops ⓑ where they can swing, climb, and hang upside down. And they are huge! A male orangutan weighs about 75 kilograms and is almost 1.5 meters tall.

Yet, as big as they are, these animals face many dangers in the forest, including fires, tree felling, and hunters. In fact, threats to orangutans have become so serious that these animals are now considered ________. But the Sepilok Rehabilitation Center on Borneo hopes to protect them. At the center, staff workers look after sick and injured orangutans until they are healthy. They also teach orphaned orangutan babies ⓒ how to live in the forest. ⓓ When the orangutans grow up, the workers take them into the wild and set them free.

The center is famous around the world. Visitors from many different countries go there to watch the young animals feed and play. Some donate money to help the center pay for food and medicine for the animals. And some people even volunteer at the center for a few months. Volunteers can help at the nursery with the babies or at the clinic with the sick animals. Sometimes they also go and observe the orangutans ⓔ that have returned to the forest. Anyone can volunteer, even you! Would you like to help an orphaned animal?

Grammar Note

10행: as 양보절의 어순
[as 형용사/부사/명사 as 주어+동사]의 형태로 나타내며 첫 번째 as는 생략 가능.

As poor as he is, he is respected by many people.
그는 비록 가난하지만 많은 사람들에게 존경받는다.

12행: so ~ that 구문
[so 형용사/부사 that 주어+동사]에서 that절은 결과의 부사절이며 that은 생략 가능.

She was so nervous that she made a big mistake.
그녀는 너무 긴장해서 큰 실수를 했다. (결과)

정답 p.8

1 이 글의 목적으로 가장 알맞은 것은?

① 오랑우탄 사냥의 심각성을 알리려고
② 오랑우탄이 인도네시아에 많은 이유를 설명하려고
③ 보르네오에서 오랑우탄과 함께하는 휴양지를 홍보하려고
④ 오랑우탄을 돕는 자원봉사의 어려움을 알리려고
⑤ 오랑우탄을 보호하고 돌보는 재활 기관을 소개하려고

2 이 글의 빈칸에 들어갈 말로 가장 알맞은 것은?

① alive
② symbolic
③ dangerous
④ miraculous
⑤ endangered

3 세필록 재활 센터에 대한 내용과 일치하지 않는 것은?

① 방문객들은 센터에 돈을 기부할 수 있다.
② 병에 걸리고 다친 오랑우탄이 재활하는 곳이다.
③ 센터의 방문객들은 자원봉사가 허락된다.
④ 직원들은 새끼 오랑우탄을 야생으로 돌려보낸다.
⑤ 직원들은 오랑우탄에게 숲에서의 생존법을 가르친다.

4 이 글의 밑줄 친 ⓐ~ⓔ 중 어법상 틀린 것은?

① ⓐ ② ⓑ
③ ⓒ ④ ⓓ
⑤ ⓔ

WORDS

ape [eip] 명 유인원
primate [práimèit] 명 영장류
swing [swiŋ] 동 그네를 타다
climb [klaim] 동 기어오르다
hang [hæŋ] 동 매달리다
huge [hjuːdʒ] 형 거대한
weigh [wei] 동 무게가 나가다
face [feis] 동 직면하다
felling [féliŋ] 명 벌목
threat [θret] 명 위협
rehabilitation [rìːhəbìlətéiʃən] 명 재활
injured [índʒərd] 형 다친, 부상한
orphan [ɔ́ːrfən] 동 고아로 만들다
set ~ free 자유의 몸이 되게 하다
feed [fiːd] 동 먹이를 먹다
donate [dóuneit] 동 기부하다
medicine [médisin] 명 약, 의약품
volunteer [vɑ̀ləntíər] 동 자원봉사로 하다
nursery [nə́ːrsəri] 명 탁아소, 어린이집
observe [əbzə́ːrv] 동 관찰하다

직독직해

At the center, / staff workers look after / sick and injured orangutans.

The workers take them / into the wild / and set them free.

Some people even volunteer / at the center / for a few months.

10 A Sip of Tea

How would you like to travel the world and be paid to drink tea? That is the job of a professional tea taster. Tea is a product of nature so its taste and quality can vary. This is true whether the tea is from the same field or not because weather can be unpredictable. It is the job of tea tasters to judge the quality and taste of a sample of tea. If they have to, they will blend several samples of tea together for a better taste. Tea tasters sip dozens or even hundreds of tea samples in a day while working for tea companies or upscale hotels. They sip a spoon of tea quickly so that the tea hits the taste buds at high speed. This also adds oxygen to the tea so the taste comes out more. Then they spit the tea out and evaluate the taste before moving on to the next sample.

It takes more than five years to train your tongue to identify where a tea sample came from, not only the country but also the region. Beginners train under an experienced mentor. The job also requires traveling to different countries, so good communication skills are necessary. To evaluate teas, you need to use precise language appropriate for the tea industry. In addition, a tea taster has to be familiar with how tea is grown, how tea is marketed, and the demand for a tea in order to recommend the right price.

Grammar Note

6행: 부사절 접속사 whether

whether는 간접 의문문에서 '~인지 아닌지'의 의미로 쓰일 뿐만 아니라 부사절 접속사로 '~이든 아니든'의 뜻으로 쓰임.

The concert will be held **whether** it rains or not.
비가 오든 안 오든 콘서트는 열릴 것이다.

15행: It takes+시간+(for 목적격)+to부정사

[It takes+시간+(for 목적격)+to부정사]는 '~하는 데 …의 시간이 걸리다'라는 뜻으로 쓰이는 관용 표현.

It **takes about 2 hours (for me) to drive** to my cousin's.
사촌 집까지 운전해서 가는 데 약 2시간이 걸린다.

정답 p.8

1 다음 중 차 감정사에 대한 내용과 일치하지 않는 것은?

① 차를 감정할 때 오랜 시간 음미한다.
② 회사나 호텔을 위해서 일을 할 수 있다.
③ 하루에 100잔 이상의 차를 감정하기도 한다.
④ 다른 나라로 여행하는 것은 업무의 일부이다.
⑤ 초보 감정사들은 경험 많은 감정사 밑에서 수련한다.

2 이 글의 밑줄 친 blend와 의미가 가장 가까운 것은?

① mix
② collect
③ analyze
④ swallow
⑤ purchase

3 이 글에서 유추할 수 있는 내용은 무엇인가?

① 차의 시장 가격은 언제나 변동이 심하다.
② 소비자들은 차에 대한 요구 사항이 다양하다.
③ 차 감정사로 일하려면 다양한 능력이 필요하다.
④ 비옥한 차 밭에서 항상 최상품의 차가 나온다.
⑤ 탁월한 미각을 타고나야 차 감정사가 될 수 있다.

4 차의 맛과 품질이 다양할 수 있는 이유를 찾아 우리말로 쓰시오.

____

WORDS

professional [prəféʃənəl] 형 전문적인
tea taster 차 감정사
product [prádəkt] 명 산물
taste [teist] 명 맛
quality [kwáləti] 명 품질
vary [vέ(:)əri] 동 다양하다
unpredictable [ʌ̀npridíktəbl] 형 예측할 수 없는
judge [dʒʌdʒ] 동 평가하다
sip [sip] 동 홀짝홀짝 마시다
upscale [ʌ́pskèil] 형 평균 이상의, 부자의
taste bud 미뢰, 혀의 미각 기관
add [æd] 동 더하다, 추가하다
oxygen [áksidʒən] 명 산소
spit [spit] 동 뱉다
evaluate [ivǽljuèit] 동 평가하다
train [trein] 동 훈련하다
tongue [tʌŋ] 명 혀
identify [aidéntəfài] 동 식별하다
mentor [méntɔːr] 명 스승, 멘토
necessary [nésəséri] 형 필요한
evaluate [ivǽljuèit] 동 평가하다
precise [prisáis] 형 정확한
appropriate [əpróupriət] 형 적절한
market [mɑ̀ːrkit] 동 상품을 내놓다, 광고하다
demand [dimǽnd] 명 수요
recommend [rèkəménd] 동 추천하다

직독직해

Tea tasters sip / dozens or even hundreds / of tea samples / in a day.

____

They evaluate / the taste / before moving on / to the next sample.

____

You need to use / precise language / appropriate for the tea industry.

____

11 Geometric Clouds

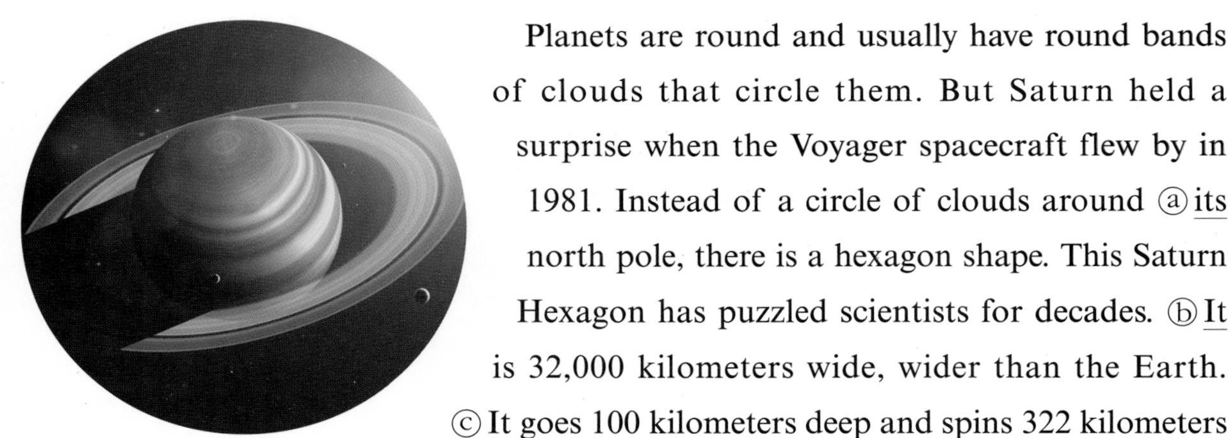

Planets are round and usually have round bands of clouds that circle them. But Saturn held a surprise when the Voyager spacecraft flew by in 1981. Instead of a circle of clouds around ⓐ its north pole, there is a hexagon shape. This Saturn Hexagon has puzzled scientists for decades. ⓑ It is 32,000 kilometers wide, wider than the Earth. ⓒ It goes 100 kilometers deep and spins 322 kilometers per hour, the same as the planet. At the center is a circular storm. The south pole of Saturn does not have this hexagon pattern, and nothing like ⓓ it is seen anywhere else on any other planet.

Scientists think the Saturn Hexagon is stable because the planet has no landforms to break up ⓔ its winds. Similar to Jupiter, Saturn is a gas giant without any rocky land near its surface. Earth has mountains, continents, and ice caps which make weather on Earth always change. Hurricanes on Earth last about a week but this Saturn Hexagon might last decades or even centuries.

Scientists have created a hexagon of gas on computer simulations. The key was to have swirls of air made when different winds collide. But this simulation only used winds near the surface, not winds that are 100 kilometers deep. So it remains to be seen whether this simulation really explains the Saturn Hexagon.

Grammar Note

6행: 현재완료의 다양한 의미

현재완료는 현재를 기준으로 어떤 동작의 완료, 과거의 행동이나 상태가 현재까지 지속, 과거부터 현재까지 경험의 횟수를 나타낼 때 사용됨.

I've just washed my hair. (완료)
방금 머리를 다 감았다. (지금 현재 내 머리는 깨끗하다.)

Mike and I have been friends for over 10 years. (계속)
마이크와 나는 10년 이상 동안 친구로 지내오고 있다.

I have been to Mexico twice. (경험)
나는 지금까지 멕시코에 두 번 가 봤다.

정답 p.9

1 이 글의 내용과 일치하는 것은?

① 토성은 1981년에 최초로 발견되었다.
② 목성은 육각형 패턴과 원형 구름이 존재한다.
③ 토성은 시속 300킬로미터 이상으로 회전한다.
④ 지구의 날씨는 토성의 날씨와 가장 유사하다.
⑤ 목성은 표면이 암석 지대로 이루어져 있다.

2 이 글의 밑줄 친 It[it, its]가 가리키는 대상이 나머지 넷과 다른 것은?

① ⓐ
② ⓑ
③ ⓒ
④ ⓓ
⑤ ⓔ

3 Saturn Hexagon에 대한 내용과 일치하지 않는 것은?

① 토성에서 안정된 상태를 유지한다.
② 가스와 결합하면 형태가 변한다.
③ 지구보다 더 넓은 폭을 갖는다.
④ 토성의 남극에서는 발견되지 않는다.
⑤ 원형 형태의 폭풍이 중심에 존재한다.

4 이 글의 밑줄 친 collide와 의미가 가장 가까운 것은?

① combine
② diminish
③ clash
④ whistle
⑤ progress

WORDS

geometric [dʒìːəmétrik] 형 기하학적인
planet [plǽnit] 명 행성
band [bænd] 명 띠, 끈
circle [sə́ːrkl] 동 ~의 둘레를 돌다
Saturn [sǽtərn] 명 토성
spacecraft [spéiskræ̀ft] 명 우주선
hexagon [héksəgɑ̀n] 명 육각형
puzzle [pʌ́zl] 동 당황하게 하다
decade [dékeid] 명 십 년간, 수십 년
stable [stéibl] 형 안정적인
gas giant 가스상 거대 혹성
landform [lǽndfɔ̀ːrm] 명 지형, 지세
Jupiter [dʒúːpitər] 명 목성
rocky [rɑ́ki] 형 암석이 많은
continent [kɑ́ntənənt] 명 대륙
ice cap 만년설
last [læst] 동 지속하다
swirl [swəːrl] 명 소용돌이
simulation [sìmjəléiʃən] 명 모의실험, 시뮬레이션

직독직해

Saturn held / a surprise / when the Voyager spacecraft flew by / in 1981.

Saturn is / a gas giant / without any rocky land / near its surface.

The key was / to have swirls of air / made / when different winds collide.

12 The Youngest Ever

Chaille Stovall has the distinction of being Hollywood's youngest film director. When he was thirteen, he directed a short film called *Little Monk*, which won a few awards and caused some buzz among the Hollywood elite. He was then offered a job to direct a movie called *Camp Grizzly* by a big Hollywood movie studio.

Before making movies, he filmed documentaries. (A) His first documentary, made when he was nine, was called *Looking 4 God*. He interviewed people around the world about what they thought God looked like. (B) He wanted to know how differently people imagined God's appearance. (C) He won first place in the Children's National Film Festival for this documentary. ________, the documentary was so good that it was bought by a major TV network, HBO. (D) In this documentary, he interviewed famous religious leaders such as the Dalai Lama. Then, he became famous for filming another documentary on the American elections. (E)

Though just a boy, he has had many career successes. He also has been a well-paid movie director from the age of 13. Chaille demonstrates the tremendous artistic potential of children. Although Chaille is unusual, many teachers will say that youths these days have so many hidden skills. If they just pursue the things they love, they will find that they too have genius potential like that of Chaille.

Grammar Note

12행: 의문사가 있는 간접의문문의 어순
의문사가 있는 간접의문문은 [의문사+주어+동사]의 순서를 취함.
Do you know **who I am?**
내가 누군지 아니?

26행: 반복을 피하는 that
두 가지 대상이 비교될 경우 that[those]은 앞 명사의 반복을 피하기 위해 사용.
The atmosphere of Mars is not like **that** of the Earth.
화성의 대기는 지구의 대기와 같지 않다.

정답 p.9

1 **Chaille Stovall에 대한 내용과 일치하지 않는 것은?**

① 달라이 라마와 만난 적이 있다.
② 열세 살 때 단편 영화를 촬영했다.
③ 엄청난 예술적 잠재성을 갖고 있다.
④ 다큐멘터리로 전국 어린이 영화제에서 입상했다.
⑤ 영화 제작을 다큐멘터리 제작보다 먼저 시작했다.

2 **이 글의 빈칸에 들어갈 말로 가장 알맞은 것은?**

① Therefore
② In addition
③ Even though
④ However
⑤ So

3 **다음 문장이 들어가기에 가장 알맞은 곳은?**

> He interviewed former U.S. President George W. Bush as well as many senators for this documentary.

① (A) ② (B)
③ (C) ④ (D)
⑤ (E)

4 **Chaille Stovall은 할리우드 영화 스튜디오로부터 어떤 일을 제안받았는지 찾아 우리말로 쓰시오.**

WORDS

distinction [distíŋkʃən] 명 명예; 구별
direct [dirékt] 동 영화를 감독하다
award [əwɔ́:rd] 명 상, 상품
buzz [bʌz] 명 열광
documentary [dɑ̀kjəméntəri] 명 기록물, 다큐멘터리
appearance [əpí(:)ərəns] 명 외모, 겉모습
religious [rilíʤəs] 형 종교적인
election [ilékʃən] 명 선거
career [kəríər] 명 경력, 직업
demonstrate [démənstrèit] 동 나타내다
tremendous [triméndəs] 형 엄청난
artistic [a:rtístik] 형 예술적인
potential [pəténʃəl] 명 잠재성
unusual [ʌnjú:ʒuəl] 형 예외적인
youth [ju:θ] 명 젊은이; 젊음
hidden [hídən] 형 숨은
skill [skil] 명 솜씨; 기능
pursue [pərsjú:] 동 추구하다

직독직해

He wanted to know / how differently / people imagined / God's appearance.

He interviewed / famous religious leaders / such as the Dalai Lama.

Many teachers will say / youths these days have / so many hidden skills.

Review Test

정답 p.10

[1~2] 밑줄 친 단어와 비슷한 의미의 단어를 고르시오.

1 The hungry bears looking for food in the village are great threat to the residents.
① danger ② surprise ③ anger ④ attraction ⑤ entertainment

2 You must demonstrate your skills and abilities in front of the judges.
① complete ② teach ③ show ④ learn ⑤ argue

[3~5] 빈칸에 알맞은 단어를 〈보기〉에서 찾아 쓰시오.

보기	hexagon	evaluate	geometric	donate	tremendous

3 Mike signed up to __________ his organs when he dies.

4 His job is to __________ prices of antiques.

5 Triangles, pentagons, and octagons are all __________ shapes.

6 밑줄 친 부분 중 양보의 의미가 아닌 것을 고르시오.

① As small as it is, this knife has many different uses.
② This knife is as small as a credit card.
③ Although it is very small, its blade is very sharp.
④ Despite being very small, this knife works very well.
⑤ While it is very small, this knife is very practical.

[7~8] 밑줄 친 부분을 어법에 맞게 고쳐 쓰시오.

7 If we succeed or fail, we must try.

____

8 How long can a person survive without no food or water?

____

[9~10] 우리말과 뜻이 같도록 주어진 단어를 배열하여 문장을 완성하시오.

9 그들은 고아가 된 오랑우탄 새끼에게 숲에서 살아가는 법을 가르쳐 준다.
(in the forest / teach / how / they / orphaned orangutan babies / to live)

____

10 그가 9살 때 만든 첫 번째 다큐멘터리의 제목은 〈신을 찾아서〉였다.
(made / his first documentary, / he was / when / nine, / *Looking 4 God* / was called)

____

04 UNIT

13 National Fruit

The mango is one of the most popular tropical fruits in the world today. It is native to South Asia but it had been grown in East Asia and East Africa for thousands of years. Now it is grown in other tropical countries like Brazil, Mexico, and China. It is the national fruit of India, Pakistan, and the Philippines. The mango tree, which is the national tree of Bangladesh, can live up to 300 years.

The color of a mango can vary from yellow, orange, red, or green. The taste is generally sweet, but the texture can range from soft to firm. One way of eating mango is to slice the fruit in half and take out the central stone. Then take a knife and slice the flesh into squares while leaving it on the skin. Then hold the edges and push out the fleshy side. Another way to eat mango is to place cubes of it in a fruit salad. You can also drink mango juice or enjoy mango ice cream.

Unfortunately, mangoes can ________ allergic reactions in some cases. People who have a latex allergy should avoid mangoes which have anacardic acid. The peel of a mango also contains urushiol which can cause an allergic reaction in some. In addition, mango farmers sometimes ripen the fruit using calcium carbide which can be unhealthy. Therefore, you should always wash mangoes before eating or buy organic.

* urushiol: 우루시올(옻의 주성분)

* anacardic acid: 아나카르드 산(피부 점막을 자극하는 물질)

Grammar Note

11행: up to의 의미
up to는 장소를 뜻하는 '~까지'라는 의미 외에도 '(특정 기준, 수준) 만큼의'라는 의미로도 쓰임.
Up to 100 students can sign up for the class.
최대 100명의 학생들이 그 수업에 등록할 수 있다.

14행: to부정사에서 to의 생략
여러 개의 to부정사가 등위접속사로 연결될 때 첫 번째 to부정사를 제외한 나머지 to는 생략될 수 있음.
I want **to visit** Italy and **try** local cuisine.
나는 이탈리아에 가서 현지 음식을 먹어보고 싶다.

정답 p.10

1 망고에 대해 언급되지 않은 것은 무엇인가?

① 색상
② 재배 지역
③ 과육 질감
④ 크기 및 모양
⑤ 알레르기 반응

2 망고에 대한 내용과 일치하는 것은?

① 씨가 굉장히 부드럽고 작다.
② 알레르기를 치료하는 역할을 한다.
③ 오늘날 중국에서 가장 많이 소비된다.
④ 몇몇 국가에서는 국가의 과일로 여겨진다.
⑤ 당분이 다른 과일에 비해서 매우 낮다.

3 이 글의 빈칸에 들어갈 말로 가장 알맞은 것은?

① trigger
② digest
③ neglect
④ transplant
⑤ prescribe

4 이 글의 밑줄 친 ripen과 의미가 가장 가까운 것은?

① store
② display
③ transact
④ consume
⑤ mature

WORDS

tropical [trάpikəl] 형 열대의
native [néitiv] 형 ~원산의
national [nǽʃənəl] 형 국가의
vary [vέ(:)əri] 동 다양하다
texture [tékstʃər] 명 질감
range [reindʒ] 동 ~에 걸치다
firm [fə:rm] 형 단단한
slice [slais] 동 자르다
central [séntrəl] 형 중앙의
stone [stoun] 명 핵, 씨
flesh [fleʃ] 명 과육; 살
skin [skin] 명 껍질; 피부
edge [edʒ] 명 끝, 가장자리
allergic reaction 알레르기 반응
latex [léiteks] 명 라텍스, (고무나무 등의) 유액
avoid [əvɔ́id] 동 피하다
peel [pi:l] 명 껍질
contain [kəntéin] 동 포함하다
calcium carbide 탄화칼슘
organic [ɔ:rgǽnik] 명 유기농 식품(집합적으로)

직독직해

Then / hold the edges / and push out / the fleshy side.

Unfortunately, / mangoes can trigger / allergic reactions / in some cases.

You should always wash / mangoes / before eating / or buy organic.

---

14 Leaving Cuba

Many Cubans who have sought alternative political or economic conditions outside the island have tried to leave their country. (A) When Jose was a very young man, fresh out of school, he attempted his first escape to the U.S. by jumping in the ocean and just swimming. He barely made it out to sea when he was caught by the Cuban police. (B) While serving in the military, he decided to prepare for his next escape swimming three kilometers a day. The military police suspected he was preparing to escape again, but Jose told them he was merely trying to stay in shape. (C)

After five years of hard training, Jose knew he was ready. (D) On the day of his planned departure, he covered his body with motor oil. He knew he would be swimming among sharks and other sea creatures, and the motor oil would help keep some of these predators away. (E) He swam and swam among all the sea life in the ocean and finally arrived in the U.S.-controlled area of Guantánamo Bay. He was physically exhausted and his whole body started to cramp from swimming a distance of over 200 kilometers.

Even though Jose arrived safely on the U.S. coastline after his swim through the waters dividing the Cuban and the U.S.-controlled area, he feared that he would be expelled to Cuba. But recently he got his permanent resident identification card.

Grammar Note

8행: 항상 복수 취급하는 명사
police(경찰), people(사람들)과 같은 명사는 늘 복수 취급.

Several police were injured and seven people were arrested.
경찰관 몇 명이 부상당하고 7명이 체포되었다.

16행: help+원형부정사
help는 to부정사를 목적보어로 취하지만 to가 생략된 원형부정사도 목적보어로 취함.

Drinking milk helps (to) make our bones stronger.
우유를 마시면 우리의 뼈를 더 튼튼하게 만드는 데 도움이 된다.

정답 p.11

1 이 글의 제목으로 가장 알맞은 것은?

① A Man Who Swam around the U.S. Coastline
② A Cuban Refugee Who Was Homeless
③ The Victory for the Man Who Never Gave Up
④ The Story of Escaping the Cuban Military
⑤ The Best Route to Swim from Cuba to the U.S.A.

2 이 글의 밑줄 친 expelled와 의미가 가장 가까운 것은?

① submitted
② exchanged
③ contributed
④ dismissed
⑤ absorbed

3 다음 문장이 들어가기에 가장 알맞은 곳은?

Instead of jail, they placed him in the military.

① (A) ② (B)
③ (C) ④ (D)
⑤ (E)

4 호세가 자신의 온몸에 엔진 오일을 바른 이유를 찾아 우리말로 쓰시오.

____

WORDS

- **alternative** [ɔːltə́ːrnətiv] 형 대신하는
- **political** [pəlítikəl] 형 정치적인
- **economic** [ìːkənámik] 형 경제의
- **attempt** [ətémpt] 동 시도하다
- **escape** [iskéip] 명 도망, 탈출
- **barely** [bέərli] 부 간신히
- **military** [mílitèri] 명 군대
- **suspect** [sʌspékt] 동 의심하다
- **departure** [dipáːrtʃər] 명 출발
- **predator** [prédətər] 명 포식자
- **exhausted** [igzɔ́ːstid] 형 기진맥진한
- **whole** [houl] 형 전체의
- **cramp** [kræmp] 동 경련을 일으키다
- **coastline** [kóustlàin] 명 해안선
- **permanent** [pə́ːrmənənt] 형 영구적인

직독직해

The military police suspected / he was preparing / to escape again.

____

He swam and swam / among all the sea life / in the ocean.

____

Recently / he got / his permanent resident identification card.

____

15 Staying Young

Most of us can expect to get gray hair and wrinkles when we get older. We may also face a degree of mental decline due to age. (A) So what is considered normal in the aging process and what can we do about it? (B) For one, our heart rate can be expected to decrease a little and the blood vessels and arteries become stiffer. (C) The result is higher blood pressure which can lead to various other problems. (D) To combat this, we can include exercise in our everyday routine. (E) This reduces blood pressure, keeps the artery stiffening low, and in the process can help keep our weight down. We can eat a healthy diet that includes lots of vegetables, fruits, whole grains, and fiber as well as cut out excessive sodium and fat. We can manage our stress and get enough sleep. All these will help keep our hearts healthy.

In terms of our mental abilities, memory might decrease with age to an extent. It may take longer to learn new things or remember words or names. But it's been shown that we can do a few things to stay mentally sharp. A healthy diet and physical exercise helps keep the blood flowing to our brains. And staying socially active helps keep us mentally alert as we get older. Loneliness tends to lead to depression and lowered mental functioning.

Grammar Note

5행: 이유를 나타내는 전치사구 due to
due to는 '~때문에'라는 의미로 because of와 뜻이 같음.
Traffic is very slow due to the heavy snow.
폭설이 내려서 교통이 매우 느리다.

19행: It+수동태 동사+that 주어+동사
수동태 문장에서 주어가 긴 명사절일 때, 가주어 it을 사용할 수 있음.
It is said that she graduated from high school in two years.
그녀는 2년 만에 고등학교를 졸업했다고 한다.

정답 p.11

1 첫 번째 문단의 주제로 가장 알맞은 것은?

① 노화를 예방하기 어려운 이유
② 심장을 건강하게 유지하는 방법
③ 정신적 수준과 신체적 나이의 관계
④ 노화 과정이 사람마다 다른 원인
⑤ 심장 강화를 위한 음식 선별의 중요성

2 이 글의 밑줄 친 combat와 의미가 가장 가까운 것은?

① counter
② anticipate
③ fasten
④ transfer
⑤ surrender

3 다음 문장이 들어가기에 가장 알맞은 곳은?

> Because of this, our heart has to work harder to pump the blood.

① (A) ② (B)
③ (C) ④ (D)
⑤ (E)

4 기억력 감소를 예방하는 방법을 찾아 우리말로 쓰시오.

____

WORDS

expect [ikspékt] ⓢ 예상하다
wrinkle [ríŋkl] ⓜ 주름
face [feis] ⓢ 직면하다
mental decline 정신력 감퇴
normal [nɔ́:rməl] ⓗ 정상적인
heart rate 심장 박동 수
decrease [di:krí:s] ⓢ 감소하다
blood vessel 혈관
artery [ɑ́:rtəri] ⓜ 동맥
stiff [stif] ⓗ 뻣뻣한
lead to 야기하다
routine [ru:tí:n] ⓜ 일상적인 일
excessive [iksésiv] ⓗ 과도한
sodium [sóudiəm] ⓜ 나트륨
fat [fæt] ⓜ 지방
manage [mǽnidʒ] ⓢ 관리하다
in terms of ~의 면에서
memory [méməri] ⓜ 기억력
sharp [ʃɑ:rp] ⓗ 예리한
active [ǽktiv] ⓗ 활동적인
alert [ələ́:rt] ⓗ 기민한; 정신이 초롱초롱한
loneliness [lóunlinis] ⓜ 외로움
tend [tend] ⓢ ~하는 경향이 있다
depression [dipréʃən] ⓜ 우울증

직독직해

We may also face / a degree of mental decline / due to age.

____

The result is / higher blood pressure / which can lead to / various other problems.

____

Staying socially active / helps keep us / mentally alert / as we get older.

____

16 Submarine Volcano

Volcanoes are spectacular natural events which make for great news. In 2009, the volcano scientists watched and learned about was not so easy to take a photo of, much less catch on film. This volcano is over 1,200 meters below sea level in the Pacific Ocean, and it is the deepest erupting volcano scientists have ever seen. In 2009, for the very first time, scientists recorded the spectacular sight — the eruption of the deepest seafloor volcano.

Scientists sent a submersible robot into the ocean near the island of Samoa and captured some of the best video images of fiery, underwater lava flows. Scientists are confident that these images can be analyzed to help us understand more about our earth's crust and how it was formed. Bob Embley, who works as a marine geologist, stated, "Since the water pressure at that depth suppresses the violence of the volcano's explosions, we could get the underwater robot within feet of the active eruption." The water is very cold at that depth, so the lava flows froze almost as soon as they hit the frigid seawater. The robot was able to hover over the eruption and collect lava samples with its robotic arm.

It took almost 25 years to record a deep-sea volcanic activity on film. No one had ever witnessed a seafloor eruption this deep and in this much detail. From this deep-sea wonder, scientists are learning a great deal about volcanoes.

Grammar Note

5행: 비교급 관용표현 much less

much less는 (부정문에서) '더군다나 ~아니다'를 뜻함.

He can't walk, **much less** run.
그는 걸을 수 없고 더군다나 뛰지도 못한다.

24행: 대과거를 나타내는 과거완료

특정 과거 시점보다 앞선 시제를 나타낼 때는 과거완료 [had+p.p.]를 사용.

I noticed that my roommate **had gone out**.
나는 내 룸메이트가 외출했다는 것을 알아차렸다.

정답 p.12

1 이 글의 주제로 가장 알맞은 것은?

① 사모아 섬 근처의 수중용 로봇
② 지구의 지각 형성의 원인
③ 화산 활동 연구를 위해 분석된 이미지
④ 최초로 필름에 담은 심해 화산 활동
⑤ 해양 지질학 연구의 장단점

2 이 글의 밑줄 친 suppresses와 의미가 가장 가까운 것은?

① gets by ② takes down
③ holds back ④ gives away
⑤ pushes over

3 이 글에서 유추할 수 있는 내용은 무엇인가?

① 과거에는 해저 폭발이 없었다.
② 수중 로봇은 밥 엠블리가 발명했다.
③ 해저 화산 활동은 주로 태평양에서 발생한다.
④ 과학자들은 지구의 지각이 형성된 방식을 완벽하게 이해한다.
⑤ 과학자들이 심해 폭발을 필름에 담기는 쉽지 않았다.

4 빈칸에 들어갈 말로 가장 알맞은 것은?

> The submersible robot was able to ________ the active seafloor volcano since the violence of the eruption was ________ by the severe water pressure.

① get, exploded ② leave, endangered
③ approach, weakened ④ progress, depressed
⑤ undertake, hit

WORDS

- **volcano** [vɑlkéinou] 명 화산
- **spectacular** [spektǽkjələr] 형 장엄한, 화려한
- **eruption** [irʌ́pʃən] 명 폭발, 분출
- **seafloor** [síːflɔ̀ːr] 명 해저
- **submersible** [səbmə́ːrsəbl] 형 수중에서 가동하는
- **fiery** [fáiəri] 형 불타는 듯한, 이글거리는
- **lava** [lɑ́ːvə] 명 용암
- **flow** [flou] 명 흐름, 유출
- **confident** [kɑ́nfidənt] 형 확신하는, 자신하는
- **analyze** [ǽnəlàiz] 동 분석하다
- **crust** [krʌst] 명 지각
- **geologist** [dʒiɑ́lədʒist] 명 지질학자
- **explosion** [iksplóuʒən] 명 폭발
- **freeze** [friːz] 동 얼다
- **frigid** [frídʒid] 형 몹시 추운
- **hover** [hʌ́vər] 동 떠다니다
- **collect** [kəlékt] 동 수집하다
- **witness** [wítnis] 동 목격하다

직독직해

Volcanoes are / spectacular natural events / which make for great news.

____

It is / the deepest erupting volcano / scientists have ever seen.

____

It took / almost 25 years / to record a deep-sea volcanic activity / on film.

____

Review Test

정답 p.12

[1~2] 밑줄 친 단어와 반대 의미의 단어를 고르시오.

1 Our departure is scheduled for 5 p.m.

① travel ② arrival ③ plan ④ reservation ⑤ ticketing

2 The lake is beginning to freeze.

① break ② cool ③ blow ④ burn ⑤ melt

[3~5] 빈칸에 알맞은 단어를 〈보기〉에서 찾아 쓰시오.

보기	combat	permanent	excessive	trigger	vary

3 His offensive remark is sure to ____________ angry responses from the public.

4 He quit a ____________ job and started to freelance.

5 The government announced the plans to ____________ crime and poverty.

6 **밑줄 친 부분의 의미가 다른 하나를 고르시오.**

① The temperature went up to 30°C.
② I walked up to Mike and said "hi."
③ The truck can carry up to 2,500kg.
④ The stadium seats up to 30,000 people.
⑤ Up to 11 people can play the game.

[7~8] 밑줄 친 부분을 어법에 맞게 고쳐 쓰시오.

7 I can't read, more less write.

____

8 Using stairs instead of elevators helps strengthening your leg muscles.

____

[9~10] 우리말과 뜻이 같도록 주어진 단어를 배열하여 문장을 완성하시오.

9 그는 자신이 쿠바로 추방될까 봐 두려웠다.
(to Cuba / he would / he feared that / be expelled)

____

10 이 화산은 태평양의 해수면보다 1200미터 넘게 아래에 있다.
(is / below sea level / over 1,200 meters / this volcano / in the Pacific Ocean)

____

Fairytale
colours
Toys
Toys
ARTEMIS
colours
ZEUS
APHRODITE

05 UNIT

17 Safety on the Ice

Safety is a concern in ice hockey, perhaps more than in most sports. Skating on the ice means it is hard to stop quickly so players bump into each other, hit the walls, or fall on the ice. Also dangerous is the puck because it is made of hard rubber and can travel at high speeds. So players must be protected by wearing lots of equipment. And the spectators must also be protected from the puck by transparent plastic shielding all around the ice rink. The shielding stops the puck as well as players falling on top of spectators when they collide into the walls.

The list of protective equipment for ice hockey players is long. Skates for ice hockey have shorter and rounder blades compared to figure skating skates. This enables players to turn quickly and safely during a game. Helmets have a plastic visor to protect the eyes and a cage to protect the face. Mouth guards protect the teeth. Pads protect the shoulders, elbows, and shins. Large ice hockey gloves protect the hands. In addition to these, goalkeepers must wear extra gear to protect themselves while they defend their net. These include a chest protector, a goalie face mask, and leg guards.

* puck: 퍽. 아이스하키에서 공처럼 치는 원반

Grammar Note

5행: 보어 도치

보어 강조를 위해서 보어가 문두로 나가면 주어와 동사는 도치됨. 주어가 대명사인 경우 도치는 일어나지 않음.

Surprised was Mary when she saw Carl.
메리는 칼을 보았을 때 매우 놀랐다.

Surprised she was when she saw Carl.
그녀는 칼을 보았을 때 매우 놀랐다.

8행: 집합적 물질명사 equipment

equipment(도구)와 같이 유사한 품목으로 구성된 집합체는 불가산명사이며 항상 단수 취급. equipment와 같은 명사는 다음과 같은 것들이 있음.

baggage 짐	bread 빵	fish 생선
clothing 옷	fruit 과일	furniture 가구
mail 우편물	produce 농산물	

정답 p.13

1 이 글의 요지로 가장 알맞은 것은?

① 아이스하키 장비는 주기적인 점검을 해야 한다.
② 아이스하키 선수가 되려면 다양한 훈련이 필요하다.
③ 아이스하키는 스포츠 종목 중 가장 장비가 많다.
④ 아이스링크는 선수들을 위해 엄격한 관리가 요구된다.
⑤ 아이스하키는 선수와 관중을 위해 안전이 필수적이다.

2 이 글의 밑줄 친 transparent와 의미가 가장 가까운 것은?

① clear
② vacant
③ compact
④ opaque
⑤ abundant

3 골키퍼만 착용하는 아이스하키 장비는 무엇인가?

① 마우스 가드
② 가슴 보호대
③ 플라스틱 챙
④ 팔꿈치 보호대
⑤ 아이스하키 장갑

4 아이스하키용 스케이트와 피겨스케이트용 스케이트의 차이점을 찾아 우리 말로 쓰시오.

____

WORDS

safety [séifti] 명 안전
concern [kənsə́:rn] 명 우려, 걱정
quickly [kwíkli] 부 빨리
bump into 부딪치다, 충돌하다
puck [pʌk] 명 아이스하키용 고무 원반
hard rubber 경질 고무
protect [prətékt] 동 보호하다
equipment [ikwípmənt] 명 장비, 용구
spectator [spékteitər] 명 관중, 관객
shielding [ʃí:ldiŋ] 명 가림막
collide into 충돌하다
list [list] 명 목록
blade [bleid] 명 날, 칼날
enable [inéibl] 동 가능하게 하다
visor [váizər] 명 차양, 얼굴 가리개
cage [keidʒ] 명 마스크; 새장, 우리
elbow [élbou] 명 팔꿈치
shin [ʃin] 명 정강이
extra [ékstrə] 형 추가의
gear [giər] 명 용구, 장비
defend [difénd] 동 방어하다, 지키다
include [inklú:d] 동 포함하다
chest [tʃest] 명 가슴
goalie [góuli] 명 골키퍼 (= goalkeeper)

직독직해

Players / must be protected / by wearing lots of equipment.

____

The list of protective equipment / for ice hockey players / is long.

____

This enables / players / to turn quickly and safely / during a game.

____

18 Suing Animals

In medieval France, when people got upset at animals or bugs, there was a remedy: suing them. The upset person hired a lawyer, then the government hired a lawyer for the animal, and the two sides went to court. In 1545, some French farmers were furious that the weevils were eating all their crops. So, the farmers sued the weevils. The humans won, of course. The judge declared the weevils ________ and ordered them to quit destroying the crops. The irony of this case is that the weevils did not destroy any crops for the next 15 years.

During a particularly hot summer in the 13th century, mosquitoes were driving residents crazy in a small town in southern France. Of course, the people sued the mosquitoes. The lawyer who represented these annoying insects stated that his clients had a right to bite people. The judge ordered the mosquitoes out of town but awarded them a piece of land where they could swarm and live forever. Still to this day, under French law, this piece of land officially belongs to the mosquitoes.

In the 1400s, a rooster was sued for being a "male witch." The rooster's crime was that he supposedly laid an egg. He was arrested and executed in public for being a witch. Even though these cases may seem bizarre to us, they are not unusual for this period in French history. The legal records in France at that time are full of lawsuits against animals.

Grammar Note

6행: 감정의 원인을 나타내는 that절
that절은 감정 형용사 뒤에서 감정의 이유를 나타낼 수 있음.

I'm **disappointed that** you lied to me!
네가 나에게 거짓말을 하다니 실망스럽다.

16행: 관계부사 where
where가 이끄는 관계부사절은 장소나 상황을 나타내는 선행사를 뒤에서 수식.

This is the house **where** my uncle and aunt lived.
이곳은 나의 삼촌과 숙모가 사셨던 집이야.

This is a situation **where** I need a microscope.
이것이 내가 현미경이 필요한 상황이야.

정답 p.14

1 이 글의 제목으로 가장 알맞은 것은?

① Animals That Were Executed in France
② The Importance of Medieval Laws in France
③ Some Cases of Ridiculous Lawsuits in France
④ The Good Treatment of Animals Under French Laws
⑤ The Relationship Between the Lawyer and the Judge in France

2 이 글의 빈칸에 들어갈 말로 가장 알맞은 것은?

① rude ② naive
③ guilty ④ wicked
⑤ innocent

3 모기를 상대로 한 소송의 결과는 무엇인가?

① 모기는 자신의 무죄를 판사에게 확신시켰다.
② 모기는 죄를 시인하고 자신의 땅으로 도망갔다.
③ 모기는 주민들과 화해 없이 다른 마을로 이동했다.
④ 모기는 결백함에도 불구하고 공개적으로 처형당했다.
⑤ 모기는 마을을 떠나면서 그들이 살 수 있는 땅을 받았다.

4 이 글의 밑줄 친 bizarre와 의미가 가장 가까운 것은?

① odd ② sensitive
③ blunt ④ exceptional
⑤ intimate

WORDS

upset [ʌpsét] 형 화난
bug [bʌg] 명 벌레, 곤충
remedy [rémidi] 명 해결책
sue [sju:] 동 고소하다
hire [haiər] 동 고용하다
court [kɔ:rt] 명 법원, 법정
furious [fjú(:)əriəs] 형 격노한
weevil [wí:vəl] 명 바구미
declare [dikléər] 동 선언하다
quit [kwit] 동 그만두다
irony [áiərəni] 명 아이러니, 모순
mosquito [məskí:tou] 명 모기
resident [rézidənt] 명 주민, 거주민
represent [rèprizént] 동 대변하다
insect [ínsekt] 명 곤충
right [rait] 명 권리
award [əwɔ́:rd] 동 수여하다
swarm [swɔ:rm] 동 떼 지어 움직이다
law [lɔ:] 명 법
rooster [rú:stər] 명 수탉
witch [witʃ] 명 마녀
arrest [ərést] 동 체포하다
execute [éksəkjù:t] 동 처형하다
legal [lí:gəl] 형 법적인
lawsuit [lɔ́:sù:t] 명 소송, 고소

직독직해

Some French farmers were furious / that the weevils were eating / all their crops.

Under French law, / this piece of land / officially belongs to / the mosquitoes.

The rooster was arrested / and executed in public / for being a witch.

---

19 Pyramid Temples

One ancient civilization from Central America, the Mayans, used shiny paints to make their buildings glitter in the sunshine. They built libraries and pyramid-shaped temples. They even built coliseums to use for ball courts. The Mayans were more advanced than other societies that existed at that time.

The Mayans understood architecture, mathematics, and astronomy. They had astronomical observatories that they used to chart the phases of Venus. Their turquoise and clay pottery and statues continue to dazzle scientists today. They even had their own written language hundreds and hundreds of years ago. In fact, the Mayan language continues to be spoken in many countries today, and an ancient play written by a Mayan has been recognized by the United Nations as a masterpiece.

Mayan architecture was equally amazing and as spectacular as anything found in ancient Rome or Greece. Mayan cities were built following the natural shape of the land, and all cities were centered around a temple or pyramid. For the most part, Mayan cities lacked the defensive structures and walls found in most European cities of that time period.

The height of Mayan power was between 800 A.D. to about 1000 A.D. when it began to collapse. No one is certain what led to the fall of the Mayans, but most people would agree that this society was one of the most successful and sophisticated civilizations known and studied.

Grammar Note

13행: to부정사의 수동태
주어가 의미상 to부정사의 행위의 대상일 때 to부정사는 수동태 형식을 취함.

Tom wanted **to be chosen** as a team leader.
톰은 팀장으로 뽑히길 원했다.

20, 26행: [주격 관계대명사+be동사] 생략
형용사절이 [주격 관계대명사+be동사]로 시작하는 경우 관계사와 be동사는 생략 가능.

Harry Potter is a series of novels **(which were) written** by J. K. Rowling.
〈해리포터〉는 J.K. 롤링에 의해 쓰여진 소설 시리즈이다.

정답 p.14

1 이 글의 제목으로 가장 알맞은 것은?

① 예술의 한 유형
② 놀라운 관측소
③ 새로운 언어의 발견
④ 고대의 뛰어난 문명
⑤ 건축 양식의 다양성

2 다음 중 마야 문명에 대해 사실이 아닌 것은?

① 마야 언어는 오늘날에도 계속 사용되고 있다.
② 마야인들은 뛰어난 천문학 지식이 있었다.
③ 그리스와 로마 건축물만큼 장엄하다.
④ 외부 침략을 막을 방어벽 건축술이 발달했다.
⑤ 마야 문명은 세계에서 가장 성공적인 문명의 하나였다.

3 이 글의 밑줄 친 dazzle과 의미가 가장 가까운 것은?

① stay
② quote
③ astonish
④ discover
⑤ estimate

4 당시 마야인들은 어떤 학문에 대한 이해가 있었는지를 찾아 우리말로 쓰시오.

____

WORDS

ancient [éinʃənt] 형 고대의, 오래된
civilization [sìvəlizéiʃən] 명 문명
shiny [ʃáini] 형 빛나는, 번쩍이는
glitter [glítər] 동 반짝이다, 빛나다
advanced [ədvǽnst] 형 선진의, 진보한
astronomy [əstrɑ́nəmi] 명 천문학
observatory [əbzə́:rvətɔ̀:ri] 명 관측소, 기상대
phase [feiz] 명 (달 · 행성 등의) (위)상
turquoise [tə́:rkwɔiz] 명 터키옥(석)
pottery [pɑ́təri] 명 도자기, 도기
statue [stǽtʃu:] 명 조각상
masterpiece [mǽstərpì:s] 명 걸작, 명작
spectacular [spektǽkjələr] 형 장관의, 화려한
defensive [difénsiv] 형 방어적인
height [hait] 명 정점, 절정; 높이
collapse [kəlǽps] 동 붕괴하다, 무너지다
sophisticated [səfístəkèitid] 형 정교한, 세련된

직독직해

The Mayans were more advanced / than other societies / that existed / at that time.

____

They had / astronomical observatories / that they used to chart / the phrases of Venus.

____

Mayan cities were built / following the natural shape / of the land.

____

20 Private Eye

This is the story of the world's first detective. If you guessed Sherlock Holmes, you would be wrong. In fact, it was a Frenchman ⓐ[naming / named] Eugène François. Detective work came very easy to François because he was a master criminal before going into law enforcement. Therefore, he knew ________________________.

François' teen years were turbulent. He committed his first crime while still in middle school. He robbed his parents ⓑ[of / from] all their precious possessions, and also he stole a large amount of money from the cash box of his parents' bakery. When he finally got caught and went to jail, he escaped. François was like an actor, always living in disguise. For instance, he would disguise himself as a bank worker and then quietly rob the bank. He sometimes got caught and returned to jail, but he always got away. Other criminals had great respect for him since he was the absolute best thief. All the criminals wanted to be around him and learn from him.

Eventually, François decided ⓒ[to give up / giving up] his life of crime and become an undercover detective. Since criminals respected him, he lived among them and got information easily. Then, the police had no trouble catching thieves and other criminals. François combined his deep understanding of criminal behavior and his talent for disguise to create the concept of a private detective. The concept worked brilliantly, for in just one year he helped the police catch over 800 bad guys.

Grammar Note

4행: come+형용사 보어
come은 뒤에 형용사 보어를 취해 상태의 변화를 나타냄.
His shoe string **came** untied.
그의 운동화 끈이 풀어졌다.

21행: 동명사 관용표현
[have trouble+동명사]는 '~하는 데 어려움이 있다'라는 의미.
I **have trouble reading** without my glasses.
나는 안경 없이 글을 읽기 힘들다.

정답 p.15

1 이 글의 제목으로 알맞은 것은?

① Double Secret Agent
② The Great Escape Artist
③ 800 Bad Guys Go Down
④ Two Different Lives
⑤ François and His French Roots

2 이 글의 빈칸에 들어갈 말로 가장 알맞은 것은?

① how to think like a criminal
② how to get away from crowds
③ how to change his appearance well
④ how to deal with a dangerous situation
⑤ how to be familiar with the police easily

3 ⓐ, ⓑ, ⓒ 각 괄호 안에서 가장 알맞은 어법 표현은?

	ⓐ	ⓑ	ⓒ
①	naming	of	to give up
②	named	from	giving up
③	naming	from	to give up
④	named	of	giving up
⑤	named	of	to give up

4 다음 문장의 빈칸에 들어갈 말로 가장 알맞은 것은?

Eugène François had been a(n) ________ criminal since he was young. But, he turned over a new leaf and worked ________ in order to catch criminals.

① artificial, often
② known, hardly
③ numerous, diligently
④ unknown, continuously
⑤ notorious, secretly

직독직해

He was / a master criminal / before going into law enforcement.

He committed / his first crime / while still in middle school.

He helped / the police / catch over 800 bad guys.

WORDS

detective [ditéktiv] 명 탐정
criminal [krímənəl] 명 범죄자
enforcement [infɔ́:rsmənt] 명 실시, 집행
turbulent [tə́:rbjələnt] 형 불안정한, 사나운
commit [kəmít] 동 저지르다
rob [rɑb] 동 빼앗다, 강탈하다
possession [pəzéʃən] 명 소유, 소유물
jail [ʤeil] 명 감옥
escape [iskéip] 동 탈출하다
disguise [disgáiz] 명 변장, 위장 동 변장하다
get away 탈출하다, 벗어나다
respect [rispékt] 명 존경, 경의
absolute [ǽbsəlù:t] 형 절대적인
thief [θi:f] 명 도둑
undercover [ʌ̀ndərkʌ́vər] 형 비밀의
combine [kəmbáin] 동 결합하다
behavior [bihéivjər] 명 행동
talent [tǽlənt] 명 재능
concept [kánsept] 명 개념
brilliantly [bríljəntli] 부 뛰어나게, 훌륭히

Review Test

정답 p.15

[1~2] 밑줄 친 단어와 비슷한 의미의 단어를 고르시오.

1 There is no simple remedy for poverty.

① medicine ② problem ③ solution ④ means ⑤ way

2 What you just said is an absolute nonsense!

① relative ② zero ③ funny ④ strange ⑤ complete

[3~5] 빈칸에 알맞은 단어를 〈보기〉에서 찾아 쓰시오.

보기	committing	sophisticated	transparent	glittering	turbulent

3 The container is made of ____________ plastic, so we can see what is in it.

4 A man in his 40s was arrested for ____________ arson.

5 The lake is beautifully ____________ with sunlight.

6 밑줄 친 동사의 의미가 다른 하나를 고르시오.

① The screw came loose.
② Things will come clear soon.
③ His shoelace came undone.
④ I pushed the door and it came open.
⑤ She came quietly into the room.

[7~8] 밑줄 친 부분을 어법에 맞게 고쳐 쓰시오.

7 Eating raw fish can make you sick. Also dangerous drinking raw water is.

____

8 We all wanted to loved and accepted.

____

[9~10] 우리말과 뜻이 같도록 주어진 단어를 배열하여 문장을 완성하시오.

9 판사는 그들에게 영원히 살 수 있는 땅 한 구획을 수여했다.
(awarded / the judge / them / where / forever / they / a piece of land / could live)

____

10 경찰은 도둑과 다른 범죄자들을 잡는 데 아무런 어려움이 없었다.
(the police / thieves and other criminals / had / catching / no trouble)

____

06 UNIT

21 Mammalian Milk

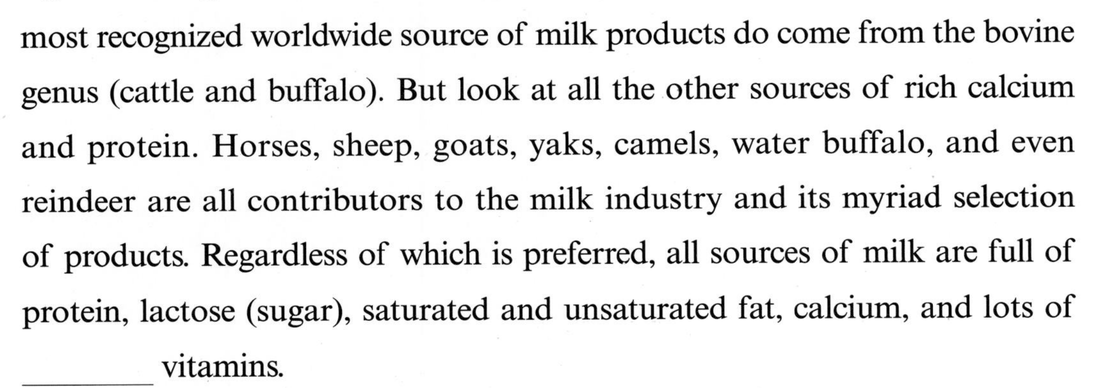

Everyone knows that a mother's milk is ________ for a newborn baby. Antibodies and complete nutrition are given to the baby directly from the mother. But what else is this opaque white liquid used for other than feeding a baby? Oh, yes, ice cream, yogurt, cheese, butter, and whipping cream. These products come only from the bovine world, right? Wrong. True, the main source and most recognized worldwide source of milk products do come from the bovine genus (cattle and buffalo). But look at all the other sources of rich calcium and protein. Horses, sheep, goats, yaks, camels, water buffalo, and even reindeer are all contributors to the milk industry and its myriad selection of products. Regardless of which is preferred, all sources of milk are full of protein, lactose (sugar), saturated and unsaturated fat, calcium, and lots of ________ vitamins.

For the safety of consumers, most commercial milk is either pasteurized or homogenized, or both. Pasteurization, a heating process, destroys the harmful microorganisms that naturally occur in milk. Pasteurization also allows the milk and milk products to have a longer shelf life. Homogenization stops the cream from separating from the rest of the milk. Homogenization distributes the heavy cream evenly throughout the milk. This process also extends the viable shelf life of the milk products. Although the chemical composition of milk differs from species to species, the good news is that they are all good, if eaten in moderation.

Grammar Note

10행: 강조의 조동사 do

do동사는 일반동사 앞에서 동사를 강조.

The kid **did** finish his homework by himself.
그 아이는 정말로 스스로 숙제를 끝마쳤다.

27행: 명사절을 이끄는 접속사 that

접속사 that은 명사절을 이끌어 문장의 주어, 목적어, 보어로 쓰임.

She thinks **that** mutual trust is very important.
그녀는 상호 신뢰가 매우 중요하다고 생각한다.

정답 p.16

1 이 글의 제목으로 가장 알맞은 것은?

① 우유의 종류
② 솟과의 세계
③ 우유에 관한 사실
④ 유제품의 장단점
⑤ 우유의 화학적 성분

2 이 글의 빈칸에 공통으로 들어갈 말로 가장 알맞은 것은?

① minor
② hollow
③ different
④ essential
⑤ sensational

3 우유에 대한 글쓴이의 의견은 무엇인가?

① 우유의 유통 기한을 늘리는 새로운 방법이 필요하다.
② 솟과 동물의 우유의 영양분이 가장 풍부하다.
③ 어떤 우유를 마시든 지나치지 않도록 한다.
④ 우유는 모든 사람에게 필요한 완전 제품이다.
⑤ 우유 마시기는 더 널리 홍보되어야 한다.

4 저온 살균 과정의 역할을 찾아 우리말로 쓰시오.

____

WORDS

mammalian [məméiliən] 형 포유류의
antibody [ǽntibɑ̀di] 명 항체
nutrition [nju:tríʃən] 명 영양소
opaque [oupéik] 형 불투명한
feed [fi:d] 동 (~에게) 젖을 주다
bovine [bóuvain] 형 솟과(科)의
source [sɔ:rs] 명 근원, 원천
genus [dʒí:nəs] 명 종류, 부류
reindeer [réindìər] 명 순록
contributor [kəntríbjutər] 명 요인, 원인
myriad [míriəd] 형 수많은; 일만의
saturated [sǽtʃərèitid] 형 포화한
unsaturated [ʌnsǽtʃərèitid] 형 불포화한
commercial [kəmə́:rʃəl] 형 상업적인
pasteurization [pæstərizéiʃən] 명 저온 살균
microorganism [màikrouɔ́:rgənìzm] 명 미생물
shelf life 유통 기한
homogenization [həmɑ̀dʒənəzéiʃən] 명 균질화
evenly [í:vənli] 부 고르게, 평평하게
extend [ikstén d] 동 연장하다
viable [váiəbl] 형 생육 가능한
composition [kɑ̀mpəzíʃən] 명 구성, 구조
moderation [mɑ̀dəréiʃən] 명 중용, 절제

직독직해

What else / is this opaque white liquid used for / other than feeding a baby?

____

Look at / all the other sources / of rich calcium and protein.

____

Homogenization distributes / the heavy cream / evenly / throughout the milk.

____

22 Being a Reporter

News gathering and reporting is the most important and viable way to ⓐ exchanging information. It always has been. But there are other qualities which are much more important and impact the success of a news reporter and his/her craft. One of them is general intelligence. It is not necessary to be a genius, but general intelligence helps a reporter develop a ⓑ growing base of knowledge. ⓒ Expanding one's knowledge comes from another important and needed quality— curiosity. A reporter needs to have an insatiable curiosity about the world, its inhabitants, and simple day-to-day activities. Next, objectivity in ⓓ reporting is a no-brainer. Unbiased and prejudice-free journalism is part and parcel of news reporting. It's also important for reporters to know the facts of the story and report only the facts. Embellishing or neglecting facts is qualities of storytellers, not reporters. Lastly, reporters should have a general understanding of the subject ⓔ being reported. It's difficult, if not impossible, to effectively report on a subject that is beyond the reporter's comprehension. And, of course, never forget to be fair and accurate.

Remember, whichever source a reporter uses as the outlet for information, there is a lot of competition out there. That's OK. Competition between the news markets (radio, TV, print, and the Internet) benefits the news-hungry public. Healthy competition forces improvement from all involved in the craft and art of reporting the news.

Grammar Note

18행: 양보의 접속사 if
if는 조건뿐 아니라 양보(~이라 할지라도)의 의미로도 쓰임.

This writing was decent, if not great.
이 글은 훌륭한 것까지는 아니더라도 꽤 괜찮다.

22행: 복합 관계형용사 whichever
whichever는 뒤의 명사를 수식하며 양보의 부사절을 이끎.

Whichever dessert you choose, you'll love it.
네가 어떤 디저트를 고르든 그것을 좋아할 거야.

정답 p.17

1 이 글의 주제로 가장 알맞은 것은?

① 뉴스를 공정하게 보도하는 방법
② 지식 기반을 확장시키는 원리
③ 미디어 산업의 성장 배경과 역사
④ 뉴스 기자가 가져야 하는 자질
⑤ 뉴스 보도에서 다양한 매체의 필요성

2 이 글의 밑줄 친 unbiased와 의미가 가장 가까운 것은?

① fluent
② divided
③ impartial
④ necessary
⑤ subjective

3 이 글의 밑줄 친 ⓐ~ⓔ 중 어법상 틀린 것은?

① ⓐ
② ⓑ
③ ⓒ
④ ⓓ
⑤ ⓔ

4 지식의 팽창은 뉴스 기자의 어떤 자질과 관련 있는지를 찾아 우리말로 쓰시오.

____

WORDS

gathering [gǽðəriŋ] 명 수집
reporting [ripɔ́ːrtiŋ] 명 보도
viable [váiəbl] 형 실행 가능한
exchange [ikstʃéindʒ] 동 교환하다
quality [kwɑ́ləti] 명 특성, 자질
impact [ìmpǽkt] 동 ~에 영향을 주다
craft [kræft] 명 직업; 기술
intelligence [intélidʒəns] 명 지성; 지능
knowledge [nɑ́lidʒ] 명 지식
expand [ikspǽnd] 동 확장하다
curiosity [kjùəriɑ́səti] 명 호기심
insatiable [inséiʃəbl] 형 만족할 줄 모르는
objectivity [ɑ̀bdʒektívəti] 명 객관성
part and parcel 본질적인 부분, 요점
embellish [imbéliʃ] 동 재미있게 꾸미다
neglect [niglékt] 동 무시하다
comprehension [kɑ̀mprihénʃən] 명 이해; 포함
source [sɔːrs] 명 근원, 출처
outlet [áutlet] 명 배출구
competition [kɑ̀mpitíʃən] 명 경쟁
benefit [bénəfit] 동 이익을 얻다

직독직해

A reporter needs to have / an insatiable curiosity / about the world.

____

Embellishing or / neglecting facts is / qualities of storytellers, / not reporters.

____

Competition / between the news markets / benefits the news-hungry public.

____

23 The Instructions to Life

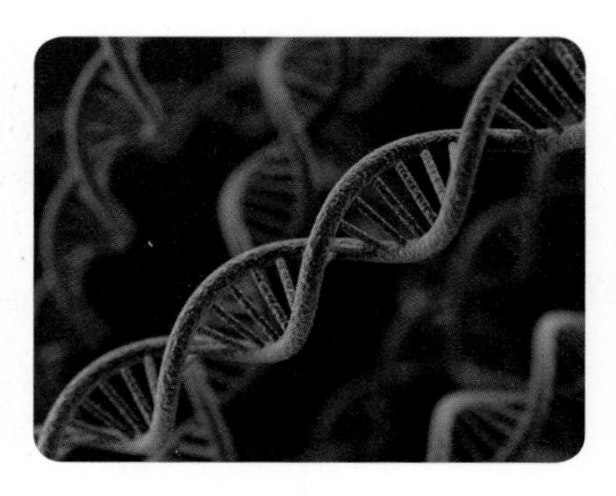

We all share 99.9% of our DNA with each other. How is this possible? There are two basic reasons. One, every organism uses many of the same proteins. And DNA makes proteins so every organism has many of the same genes. Second, much of the DNA of an organism is not actively used. These dormant genes are probably left over from our evolution. In other words, it only takes a small percentage of the millions of genes in a long molecule of DNA to create a different organism. For example, human genes are 98.8% identical with a chimpanzee. But the few different genes in humans make them very different from these other organisms.

Our present knowledge of human DNA comes from the Human Genome Project, which was formed in 1990. It announced that it finished mapping the human genome in 2003. Actually, it didn't map the entire human DNA molecule, only the most crucial 90%. Nevertheless, this was enough to conclude that all of us share 99.9% of our DNA.

Currently, many other organizations are mapping the DNA of various organisms. For example, a private biotech company reported in 2010 that modern humans share 99.7% of their DNA with Neanderthals. It sequenced the genes of several Neanderthal ________, some from Siberia and some from Europe which lived around 50,000 to 100,000 years ago. The work concluded that there was more genetic mixing between modern humans and Neanderthals than previously thought.

* Human Genome Project: 인간 게놈 계획, 인간의 유전 정보 해독을 위한 국제 프로젝트

Grammar Note

1행: all의 용법
all은 '전체의, 전부의'를 뜻하는 형용사로 쓰이며, '모두, 일체'를 뜻하는 대명사로도 쓰임.

She spent **all** the money she had with her. (형용사)
그녀는 가진 모든 돈을 써버렸다.

They spent **all** of the winter in France. (대명사)
그들은 겨울의 전부를 프랑스에서 보냈다.

26행: 비교급 구문에서 중복되는 어구의 생략
비교급 구문에서 중복되는 어구는 생략해서 문장을 간단히 만들 수 있음.

The prices are much higher **than** (they were) **expected** (to be).
가격은 예상했던 것보다 훨씬 높았다.

정답 p.17

1 이 글의 내용과 일치하는 것은?

① 인간 게놈 프로젝트는 2003년에 처음 시작되었다.
② 인간의 DNA는 네안데르탈인과 99퍼센트 이상 일치한다.
③ 인간 게놈 프로젝트는 DNA 분자의 전체를 지도화했다.
④ 수백만의 유전자가 인간과 다른 유기체와의 구별을 결정한다.
⑤ 인간 게놈 프로젝트는 네안데르탈인의 DNA를 연구했다.

2 이 글의 밑줄 친 dormant와 의미가 가장 가까운 것은?

① wicked
② robust
③ loose
④ resting
⑤ migratory

3 이 글의 빈칸에 들어갈 말로 가장 알맞은 것은?

① debris
② legacies
③ remains
④ particles
⑤ possessions

4 모든 유기체가 많은 동일한 유전자를 갖는 이유를 찾아 우리말로 쓰시오.

___

WORDS

instruction [instʌkʃən] 명 설명
share [ʃɛər] 동 공유하다
organism [ɔ́:rgənìzm] 명 유기체, 생물
protein [próuti:n] 명 단백질
gene [dʒi:n] 명 유전자
evolution [èvəlú:ʃən] 명 진화, 변화
molecule [máləkjù:l] 명 분자
identical [aidéntikəl] 형 동일한
map [mæp] 동 ~을 지도로 나타내다
entire [intáiər] 형 전체의
crucial [krú:ʃəl] 형 매우 중대한
currently [kə́:rəntli] 부 현재는
Neanderthal [niǽndərθɔ̀:l] 명 네안데르탈인
sequence [sí:kwəns] 동 (유전자 · 분자의) 배열 순서를 밝히다

직독직해

We all share / 99.9% of our DNA / with each other.

___

It announced that / it finished / mapping the human genome / in 2003.

___

Many other organizations / are mapping / the DNA of various organisms.

___

24 Conifer Cones

A cone is an organ on certain plants called conifers that contain the reproductive structures. While some pine cones are very fragile, others are as durable and sturdy as the hardy trees from which they fall. The future of all subsequent pine trees is dependent on the male and female pine cones. Indeed, the reproductive potential of all pine trees is located in the cone. The male pine cone produces pollen grains. The pollen is carried either by wind, insects, or birds to the female pine cone. The female cone contains many ovules; the ovules become seeds after they are fertilized by the male pollen.

All pine cones are covered with scales. During pollination, the female scales open and are receptive to accepting the male pollen. Once pollinated, the scales close to protect the development and growth of the new life. Once the "baby" is mature, the scales open so that the seed can escape to begin its life. Depending upon the species of conifer, maturation can take as little as 6 months to as long as 24 months. Pine cone proliferation is a great example of reproduction at work. Just think — ______________________.

Easy ways in which to distinguish a male cone from a female cone are by sight and feel. The female cone is more coarse and woody in texture and larger than the male counterpart. The male cone is smaller, and it has more of a herbaceous texture and appearance.

Grammar Note

6행: 전치사+관계대명사
관계대명사가 전치사의 목적어일 때, 전치사는 관계대명사 앞에 위치 가능.

There are many ways in which the disease can be spread.
그 질병이 확산될 수 있는 여러 방법이 있다.

14, 16행: 접속사 once
once는 부사뿐 아니라 '일단 ~ 하면'을 뜻하는 종속 접속사로 쓰임.

Once you get used to it, you will love it.
일단 그것에 익숙해지면 너는 그것을 좋아할 거야.

정답 p.18

1 **이 글의 주제로 가장 알맞은 것은?**

① 멸종 위기의 소나무
② 솔방울의 껍질
③ 침엽수 종류의 다양성
④ 솔방울의 꽃가루 입자
⑤ 소나무의 번식 과정

2 **이 글의 내용과 일치하지 않는 것은?**

① 암컷 솔방울은 씨를 생산한다.
② 씨가 완성되는 데 걸리는 시간은 종마다 다르다.
③ 수컷 솔방울은 암컷 솔방울보다 더 작다.
④ 암컷 솔방울의 껍질은 수분 작용이 끝나자마자 열린다.
⑤ 암컷 솔방울은 수컷 솔방울보다 더 결이 거칠다.

3 **이 글의 빈칸에 들어갈 말로 가장 알맞은 것은?**

① the mountains will be covered with pine cones
② we can see pine cones in the mountains all over the world
③ one fertilized pine cone is potentially hundreds of pine trees
④ pine trees have been used as building materials for a long time
⑤ a pine tree is one of the most important species in the ecosystem

4 **꽃가루를 암컷 솔방울로 운반하는 것은 무엇인지를 찾아 우리말로 쓰시오.**

____

WORDS

- **cone** [koun] 명 솔방울
- **organ** [ɔ́:rgən] 명 기관
- **conifer** [kóunəfər] 명 침엽수
- **reproductive** [rì:prədʌ́ktiv] 형 생식(번식)의
- **fragile** [frǽdʒəl] 형 약한, 깨지기 쉬운
- **durable** [djú(:)ərəbl] 형 튼튼한
- **sturdy** [stə́:rdi] 형 튼튼한, 견고한
- **subsequent** [sʌ́bsəkwənt] 형 뒤이은
- **potential** [pəténʃəl] 명 잠재력
- **pollen** [pálən] 명 꽃가루
- **ovule** [óuvju:l] 명 (식물의) 밑씨
- **seed** [si:d] 명 씨앗
- **fertilize** [fə́:rtəlàiz] 동 ~을 수정시키다
- **scale** [skeil] 명 식물의 껍질, 포엽, 깍지
- **pollination** [pɑ̀lənéiʃən] 명 수분
- **receptive** [riséptiv] 형 받아들이는
- **proliferation** [proulìfəréiʃən] 명 확산, 증식
- **distinguish** [distíŋgwiʃ] 동 구별하다
- **coarse** [kɔ:rs] 형 거친
- **texture** [tékstʃər] 명 결, 감촉
- **counterpart** [káuntərpɑ̀:rt] 명 측, 상대
- **herbaceous** [hə:rbéiʃəs] 형 풀 같은
- **appearance** [əpíərəns] 명 모습, 외관

직독직해

The reproductive potential / of all pine trees / is located / in the cone.

____

The ovules become seeds / after they are fertilized / by the male pollen.

____

Pine cone proliferation is / a great example / of reproduction at work.

____

Review Test

정답 p.18

[1~2] 밑줄 친 단어와 반대 의미의 단어를 고르시오.

1 The Yellow River is famous for its opaque water of the muddy river.

① flowing ② clear ③ turbulent ④ deep ⑤ polluted

2 The news report lacks objectivity in the way the event was described.

① details ② main idea ③ subjectivity ④ conclusion ⑤ creativity

[3~5] 빈칸에 알맞은 단어를 〈보기〉에서 찾아 쓰시오.

보기	myriad	identical	knowledge	fragile	molecule

3 The village was plagued by ____________ of rats.

4 Be careful not to drop the vase. It's very ____________.

5 One ____________ of water consists of one hydrogen atom and two oxygen atoms.

6 밑줄 친 부분의 의미가 다른 하나를 고르시오.

① This painting looks decent, if not a masterpiece.

② Please arrive early if possible.

③ I'll prepare meals myself if necessary.

④ You must pass the test this time. If not, you will have to wait another year!

⑤ Is the DVD available? If so, where can I get it?

[7~8] 밑줄 친 부분을 어법에 맞게 고쳐 쓰시오.

7 Jina really did looked lovely that day.

____

8 All they went on a trip to Australia.

____

[9~10] 우리말과 뜻이 같도록 주어진 단어를 배열하여 문장을 완성하시오.

9 저온 살균법은 우유와 유제품의 유통 기한을 더 길게 늘려 준다.

(to have / pasteurization / the milk and milk products / allows / a longer shelf life)

____

10 꽃가루는 바람이나 곤충, 또는 새에 의해 암컷 솔방울로 운반된다.

(either by wind, insects, / is carried / the pollen / to the female pine cone / or / birds)

____

07 UNIT

25 Overseeing a Match

You need at least one referee on the field for soccer. Referees are responsible for a soccer match running smoothly and safely. They decide when to start and stop a game. They check that the player's uniforms, the ball, and the field are in proper condition. They look for fouls and ___(A)___ the rules of the game. But due to the large size of a soccer field, it is helpful to have more referees in big matches.

Important soccer games can have up to 4 referees, a head referee and 3 assistants on the sidelines. The head referee stays on the field and makes all the final decisions. If a player commits a foul, they determine the penalty. Sometimes they ___(B)___ a yellow or red card. If a player is injured, they stop the clock. If players, coaches, or fans behave badly, they order them off the field. If the bad behavior continues, they might call off the game. The same may be done if the weather gets too bad.

In addition to a head referee, two assistant referees on the sidelines help watch for fouls such as offside. If an offensive player is offside, they blow a whistle and raise a flag at the exact location. The fourth assistant referee helps notify the head referee of substitutions. Timely substitutions can be crucial in a close game. They also hold up a display board showing the time remaining in a period, taking into account injury time.

Grammar Note

3행: 동명사의 의미상 주어
동명사 앞에 목적격이나 소유격을 써서 동명사의 의미상의 주어를 나타냄.

I was angry at Tom lying to me.
나는 톰이 나에게 거짓말을 한 것에 대해 화가 났다.
(= I was angry at Tom's lying to me.)

4행: decide+의문사+to 부정사
decide는 목적어로 to부정사가 올 수 있지만, [의문사+to부정사]도 목적어로 취함.

Jake could not decide which to choose.
제이크는 어느 쪽을 선택해야 할지 정할 수 없었다.
(= Jake could not decide which he should choose.)

정답 p.19

1 **이 글의 주제로 가장 알맞은 것은?**

① the duties of soccer referees
② common fouls by soccer players
③ the size and shape of the soccer field
④ various conditions for playing soccer
⑤ learning basic rules in playing soccer

2 **이 글의 빈칸 (A)와 (B)에 들어갈 말로 가장 알맞은 것은?**

	(A)	(B)
①	control	ban
②	test	record
③	expect	require
④	enforce	issue
⑤	conduct	purchase

3 **이 글의 축구 심판에 대한 내용과 일치하지 않는 것은?**

① 날씨에 따라 주심은 경기를 중단시킬 수 있다.
② 네 번째 부심은 전광판을 보여주는 역할을 한다.
③ 사이드라인의 두 부심은 오프사이드를 확인한다.
④ 네 번째 부심은 다른 부심들에게 선수 교체를 전달한다.
⑤ 축구 경기는 주심을 포함하여 4명의 심판으로 구성된다.

4 **축구 경기에서 심판이 언제 시간을 멈추는지를 찾아 우리말로 쓰시오.**

____

WORDS

oversee [òuvərsíː] ⓢ 두루 살피다, 감독하다
referee [rèfəríː] ⓜ 심판
smoothly [smúːðli] ⓑ 순조롭게
decide [disáid] ⓢ 결정하다
proper [prάpər] ⓗ 적절한
assistant [əsístənt] ⓜ 조력자
stay [stei] ⓢ 머무르다
final decision 최종 결정
commit [kəmít] ⓢ 저지르다, 범하다
foul [faul] ⓜ 반칙
determine [ditə́ːrmin] ⓢ 결정하다, 결심하다
penalty [pénəlti] ⓜ 처벌, 페널티
injured [índʒərd] ⓗ 다친, 부상한
behave [bihéiv] ⓢ 행동하다
order [ɔ́ːrdər] ⓢ 명령하다
call off 취소하다
offensive [əfénsiv] ⓗ 공격적인
blow [blou] ⓢ 불다, 내뿜다
exact [igzǽkt] ⓗ 정확한
notify [nóutəfài] ⓢ 알리다, 통보하다
substitution [sʌ̀bstitjúːʃən] ⓜ 교체, 대리, 대용
timely [táimli] ⓗ 시기적절한
crucial [krúːʃəl] ⓗ 중대한
hold up 들다
take into account 고려하다

직독직해

Referees are responsible for / a soccer match / running smoothly and safely.

____

The head referee stays / on the field / and makes all the final decisions.

____

Timely substitutions / can be crucial / in a close game.

____

26 Cradle of Civilization

The influence of ancient Greek culture is everywhere. It's visible in all forms of modern democracy. It is also visible in the columns and arches used on modern buildings. And we especially appreciate Greek civilization when we enjoy watching the Olympics — an event created in Greece. No other civilization has had as ⓐ much influence on the modern western world as classical Greece. That's why Greece is ⓑ referred to by many as "the cradle of modern civilization."

At the height of its power, Greece was composed of hundreds of city-states with Athens as the center of civilization. (A) Great thinkers such as Aristotle and Homer came up with new ideas and ways of communicating ideas. (B) Architects designed buildings that were more ornate and elaborate than any seen before. Arches and columns are important design aspects of now-famous buildings such as the Parthenon. (C) The Parthenon is a temple ⓒ dedicated to Athena, the Greek goddess of wisdom. ⓓ Another Greek structures were erected on the Acropolis of Athens, and many of them are embellished with carvings of gods and important battles. (D) It spread quickly throughout the world ⓔ due to well-established trade routes along the Mediterranean and as far away as India. ________ the Romans conquered the Greeks in 150 B.C., Greek culture continued to spread because even the Romans adopted Greek ideas and technologies. (E)

Grammar Note

9행: 최상급 의미를 지닌 비교 표현

[부정어+as[so]+원급+as A] 'A만큼 ~한 것은 아무것도 없다'라는 최상급 의미의 표현.

Nothing is as important as health. (=Nothing is more important than health.)
건강만큼(건강보다) 중요한 것은 아무것도 없다.

10행: [동사+전치사]로 구성된 동사의 수동태

수동태에서 전치사는 삭제하지 않고 그대로 남겨둔다.

Their coach is looked up to by them.
(= They look up to their coach.)
그들의 감독은 그들에게 존경을 받는다.

정답 p.19

1 이 글의 주제로 가장 알맞은 것은?

① 그리스의 유명한 도시
② 서구 사회의 발전
③ 고대 그리스의 멸망
④ 올림픽의 기원
⑤ 고대 그리스 문화

2 이 글의 빈칸에 들어갈 말로 가장 알맞은 것은?

① Even
② Even so
③ Even now
④ Even then
⑤ Even after

3 이 글의 밑줄 친 ⓐ~ⓔ 중 어법상 틀린 것은?

① ⓐ ② ⓑ
③ ⓒ ④ ⓓ
⑤ ⓔ

4 다음 문장이 들어가기에 가장 알맞은 곳은?

Greek culture, however, wasn't restricted only to Greece.

① (A) ② (B)
③ (C) ④ (D)
⑤ (E)

WORDS

influence [ínfluəns] 명 영향, 작용
ancient [éinʃənt] 형 고대의, 오래된
visible [vízəbl] 형 눈에 보이는, 명백한
democracy [dimákrəsi] 명 민주주의
column [káləm] 명 기둥, 지주
arch [ɑːrtʃ] 명 아치형 구조물
appreciate [əpríːʃièit] 동 진가를 알아보다, 인식하다
civilization [sìvəlizéiʃən] 명 문명
cradle [kréidl] 명 요람
height [hait] 명 정점, 절정; 높이
come up with 생각해내다, 고안하다
ornate [ɔːrnéit] 형 화려하게 장식한
elaborate [ilǽbərit] 형 정교한, 공들인
aspect [ǽspekt] 명 양상, 외관
wisdom [wízdəm] 명 지혜
erect [irékt] 동 세우다, 짓다
embellish [imbéliʃ] 동 장식하다
carving [káːrviŋ] 명 조각, 조각물
conquer [káŋkər] 동 정복하다
spread [spred] 동 퍼지다, 미치다
adopt [ədápt] 동 채택하다

직독직해

It is also visible / in the columns and arches / used on modern buildings.

Great thinkers / came up with / new ideas and ways / of communicating ideas.

Many of them / are embellished / with carvings / of gods and important battles.

---

27 A Good Night's Rest

Sleep is crucial for our health and we must treat it with care. What happens during sleep? When we sleep, fluid from our spine is pumped quickly through the brain. It acts like a dishwasher which cleans the waste products that our brain cells make. So when we wake up, our brain is in a cleaner state. Our hearts and lungs also can rest when we sleep. They work hard during the day so the heart and lungs work more slowly at night. And sleep is also the time when growth hormones are released and these hormones rebuild our muscles and joints. So sleep is important because it actually repairs our bodies.

Without adequate sleep, we harm our mental and physical health. We are not mentally ___(A)___ if we don't sleep well. For example, sleepy drivers have slower reaction times. Needless to say, this puts the driver and others on the road at risk. An extreme case is when truck drivers drive long distances and experience micro-sleep. They fall asleep for a few seconds at a time and endanger themselves and others. Not getting enough sleep also slowly damages our bodies. It ___(B)___ the risk of heart disease, stroke, and diabetes. It also contributes to obesity and aging of the skin. All this should illustrate to us the importance of sleep for our well-being.

* micro-sleep: 마이크로 수면, 깨어 있을 때의 순간적인 잠

Grammar Note

6, 10행: when의 다양한 쓰임

when은 의문부사, 시간 접속사, 관계부사 등으로 다양하게 쓰임.

When did you eat breakfast? (의문부사)
아침은 언제 먹었니?

When I was in college, I worked part time to earn tuition. (시간 접속사)
나는 대학에 있었을 때, 등록금을 벌기 위해 아르바이트를 했다.

I remember the day when my niece was born. (관계부사)
나는 내 조카가 태어난 날을 기억하고 있다.

정답 p.20

1 이 글의 주제로 가장 알맞은 것은?

① the importance of good sleep
② why sleeping can help us live longer
③ the remedy for sleeping disorders
④ how long we should sleep before driving
⑤ the biological changes in cells during sleep

2 이 글에 대한 내용과 일치하지 않는 것은?

① 피부 노화는 불충분한 수면과 관계가 있다.
② 수면 중에 척추에서 물질이 나와 뇌로 전달된다.
③ 폐는 심장과 달리 수면 중에 더 활발히 운동한다.
④ 몸 상태를 회복하려면 충분한 수면을 취해야 한다.
⑤ 운전 중의 마이크로 수면은 큰 위험을 초래할 수 있다.

3 이 글의 빈칸 (A)와 (B)에 들어갈 말로 가장 알맞은 것은?

	(A)	(B)
①	painful	grows
②	logical	drops
③	tired	develops
④	sharp	increases
⑤	unpleasant	reduces

4 수면 중에 분비되는 성장 호르몬의 역할이 무엇인지 찾아 우리말로 쓰시오.

____

WORDS

crucial [krúːʃəl] 형 매우 중대한
treat [triːt] 동 다루다, 취급하다
fluid [flúː(ː)id] 명 유동체
spine [spain] 명 척추, 등뼈
dishwasher [díʃwɑ̀ʃər] 명 식기 세척기
brain cell 뇌세포
state [steit] 명 상태
lung [lʌŋ] 명 폐
rest [rest] 동 휴식하다
release [rilíːs] 동 방출하다
rebuild [rìːbíld] 동 회복시키다
muscle [mʌ́sl] 명 근육
joint [dʒɔint] 명 관절
repair [ripέər] 동 회복시키다
adequate [ǽdəkwit] 형 충분한
reaction [riǽkʃən] 명 반응
needless to say 말할 필요도 없이
extreme [ikstríːm] 형 극단적인
micro-sleep 마이크로 수면 (깨어 있을 때의 순간적인 잠)
damage [dǽmidʒ] 동 손상시키다
risk [risk] 명 위험
disease [dizíːz] 명 병, 질병
stroke [strouk] 명 뇌졸중
diabetes [dàiəbíːtiːz] 명 당뇨병
obesity [oubíːsəti] 명 비만
aging [éidʒiŋ] 명 노화
illustrate [íləstrèit] 동 분명히 보여주다
well-being 행복

직독직해

Fluid from our spine / is pumped quickly / through the brain.

____

For example, / sleepy drivers have / slower reaction times.

____

All this should illustrate / to us / the importance of sleep / for our well-being.

____

28 Nikpai's Dream

© shutterstock/Lilyana Vynogradova

Born in Kabul, Afghanistan, Rohullah Nikpai had a harsh childhood. When Nikpai was about ten years old, the country was so unstable that his family was forced to leave Kabul and move to a refugee camp. It was there that Nikpai became a member of the Afghan Refugee Taekwondo Team. From early on in his taekwondo career, it was obvious that Nikpai was very talented. Although everything was difficult, Nikpai had his eye on the 2008 Beijing Olympics, and he tried his best to be a medalist, practicing every day. No one from Afghanistan had ever won an Olympic medal.

Nikpai and three other athletes from Afghanistan traveled to Beijing to compete. Nikpai performed well and advanced to the bronze medal final. He was up against Juan Antonio Ramos from Spain, who had won the World Taekwondo Championship in both 1997 and 2007. People all over Afghanistan crowded around televisions to watch Nikpai compete. As if drawing on the sense of national pride he felt from his native homeland, Nikpai used swift moves and powerful kicks to defeat Ramos. He won the bronze medal and became the first person in the history of Afghanistan to ever stand on an Olympic podium.

The people of Afghanistan were ecstatic that someone from their country had won a medal. When Nikpai came home from the Olympics, he was given a tribute at the national stadium in Kabul, where five thousand people welcomed him.

Grammar Note

6행: It ~ that 강조구문
문장에서 강조하고자 하는 말을 It is[was]와 that 사이에서 강조.
It was Tom that ate up all of the pie.
(= Tom ate up all of the pie.)
파이를 모두 먹어 치운 것은 톰이었다.

9행: 가주어 it
it은 명사절, to부정사 등과 같이 길이가 긴 주어 대신 주어의 역할을 함.
It is very important that you follow the rules.
여러분이 규정을 준수하는 것은 매우 중요하다.

정답 p.20

1 이 글의 제목으로 가장 알맞은 것은?

① 로훌라 니크파이의 어린 시절
② 후안 안토니오 라모스의 패배
③ 아프가니스탄의 첫 올림픽 메달리스트
④ 로훌라 니크파이와 팀 동료들의 베이징 여행
⑤ 2008년 베이징 올림픽과 피난민 태권도 팀

2 이 글의 밑줄 친 unstable과 의미가 가장 가까운 것은?

① strong
② delicate
③ unsteady
④ slippery
⑤ reliable

3 이 글에서 유추할 수 있는 내용은 무엇인가?

① 아프가니스탄 국민들은 스포츠를 좋아하지 않는다.
② 아프가니스탄 국민들은 동메달에도 만족해했다.
③ 아프가니스탄 태권도 팀은 아시아에서 가장 강한 팀이다.
④ 아프가니스탄 정부는 니크파이에게 많은 지원을 해 주었다.
⑤ 스페인 팀은 패배한 라모스를 비난했다.

4 이 글을 가장 잘 묘사하는 격언은 무엇인가?

① To see is to believe.
② Let sleeping dogs lie.
③ Kill two birds with one stone.
④ A trouble shared is a trouble halved.
⑤ Heaven helps those who help themselves.

WORDS

harsh [hɑːrʃ] 형 가혹한, 거친
childhood [tʃáildhùd] 명 어린 시절
refugee [rèfjudʒíː] 명 피난민
obvious [ábviəs] 형 명백한
talented [tǽləntid] 형 재능 있는
athlete [ǽθliːt] 명 운동선수
advance [ədvǽns] 동 나아가다
bronze [brɑnz] 명 청동, 동메달
crowd [kraud] 동 모여들다
pride [praid] 명 자부심
swift [swift] 형 신속한, 빠른
defeat [difíːt] 동 패배시키다
podium [póudiəm] 명 지휘대, 단
ecstatic [ekstǽtik] 형 열광적인
tribute [tríbjuːt] 명 찬사

직독직해

He tried his best / to be a medalist, / practicing every day.

Nikpai used / swift moves and powerful kicks / to defeat Ramos.

He was given / a tribute / at the national stadium in Kabul.

Review Test

정답 p.21

[1~2] 밑줄 친 단어와 비슷한 의미의 단어를 고르시오.

1 They described what they witnessed in an elaborate manner.
① detailed ② minor ③ exact ④ practical ⑤ exaggerated

2 It was obvious that Carl was lying to me.
① doubtful ② necessary ③ important ④ clear ⑤ unacceptable

[3~5] 빈칸에 알맞은 단어를 〈보기〉에서 찾아 쓰시오.

보기	ecstatic	obesity	tribute	substitution	adequate

3 The coach made one ____________ in the last 15 minutes.

4 As the band appeared on the stage, they were greeted with a(n) ____________ applause.

5 Many believe that school vending machines are responsible for childhood ____________.

6 다음 중 문장의 의미가 다른 하나를 고르시오.

① Jack is the youngest in my family.
② No one in my family is younger than Jack.
③ No one in my family is as young as Jack.
④ Jack is younger than any other person in my family.
⑤ Jack is one of the youngest members in my family.

[7~8] 밑줄 친 부분을 어법에 맞게 고쳐 쓰시오.

7 I love nature, and am going camping very often.

____

8 There is very important that you keep your promise.

____

[9~10] 우리말과 뜻이 같도록 주어진 단어를 배열하여 문장을 완성하시오.

9 파르테논 신전은 그리스의 지혜의 여신인 아테나에게 바쳐진 사원이다.
(is / dedicated / the Parthenon / to Athena, / a temple / the Greek goddess of wisdom)

____

10 아프가니스탄에는 여태껏 올림픽에서 메달을 딴 선수가 한 명도 없었다.
(had / no one / ever won / an Olympic medal / from Afghanistan)

____

08 UNIT

29 The Human Diet

Many people around the globe wake up and eat a bowl of cereal or grains for breakfast. But how long have we been eating cereals such as rice, rye, wheat, and corn? According to the research journal *Science*, people have been eating cereal for more than 100,000 years.

Julio Mercader, an archeologist at the University of Calgary in Canada, stated, "The consumption of wild grains among prehistoric hunters and gatherers appears to be far more ancient than previously thought." Mercader and his team of archeologists found evidence of grain consumption in Africa well over 100,000 years ago. They ventured deep down into a limestone cave near Lake Niassa, located in the country of Mozambique. In this long, lost cave, they discovered animal bones, stone tools, and many plant remains — all dating over 100 millennia ago. The things they found showed what early humans who lived there ate.

Mercader and his colleagues think this discovery to be a very important one. Mercader says, "The inclusion of grains in our diet is considered an important step in human evolution because of the technical complexity that is required to turn grains into staples." If this research is accurate, it is proof that early humans had a more sophisticated diet much earlier than previously believed. Think about this the next time you sit down, and open up a box of breakfast cereal or eat a bowl of rice — it's come a long way.

Grammar Note

2행: 셀 수 없는 명사의 수량 표현
cereal과 같이 셀 수 없는 명사는 a bowl of cereal처럼 단위 표현으로 수량 표시.

He drinks **two glasses of milk** every day.
그는 매일 우유 두 잔을 마신다.

4, 7행: 현재완료 진행형
과거에 시작된 사건이 현재까지 계속 진행될 때 사용.

I **have been waiting** for you for 2 hours!
너를 (지금까지) 2시간 동안 계속 기다렸어!

정답 p.22

1 이 글의 주제로 가장 알맞은 것은?

① 세계의 아침 식사의 종류
② 캘거리 대학 고고학팀의 역사
③ 모잠비크 석회암 동굴의 기원
④ 선사 시대의 가장 인기 있는 곡물
⑤ 곡물 소비의 역사적 발견

2 이 글의 내용과 일치하지 않는 것은?

① 많은 사람들은 시리얼이나 곡물로 아침 식사를 한다.
② 머케이더는 캘거리 대학에서 고고학을 연구한다.
③ 인류가 곡물을 먹은 기간은 아직 10만 년이 안 되었다.
④ 머케이더는 모잠비크의 석회암 동굴을 방문했다.
⑤ 머케이더는 식생활에 곡물 유입이 인간 진화에 중요한 단계라고 주장한다.

3 이 글의 밑줄 친 accurate와 의미가 가장 가까운 것은?

① vague
② correct
③ doubtful
④ mistaken
⑤ vacant

4 이 글의 밑줄 친 The things가 의미하는 내용을 찾아 우리말로 쓰시오.

____

WORDS

diet [dáiət] 명 식사
grain [grein] 명 곡물
rye [rai] 명 호밀
wheat [hwi:t] 명 밀, 소맥
archeologist [ɑ̀:rkiálədʒist] 명 고고학자
consumption [kənsʌ́mpʃən] 명 소비
prehistoric [prì:histɔ́(:)rik] 형 선사시대의
gatherer [gǽðərər] 명 수집인, 채집인
evidence [évidəns] 명 증거, 근거
venture [véntʃər] 동 과감히 해보다
limestone [làimstóːn] 명 석회암
locate [lóukeit] 동 ~에 위치하다
remains [riméinz] 명 나머지, 잔여물
date [deit] 동 연대를 추정하다
inclusion [inklú:ʒən] 명 함유, 포함
evolution [èvəlú:ʃən] 명 진화
complexity [kəmpléksəti] 명 복잡성
staple [stéipl] 명 주식; 주요 산물
proof [pru:f] 명 증거, 증명
sophisticated [səfístəkèitid] 형 세련된

직독직해

Many people eat / a bowl of cereal or grains / for breakfast.

____

They ventured deep down / into a limestone cave / near Lake Niassa.

____

They think / this discovery / to be a very important one.

____

30 Far from the Big City

Beginning with the ancient Romans who vacationed there, Croatia has had a long history of tourism. The small country sits directly across from Italy. For today's tourists coming in by plane, the capital Zagreb can be a starting point for arts, architecture, museums, and restaurants. However, many tourists flock to two other attractions in the country, Dubrovnik and the Plitvice Lakes.

Dubrovnik has been described as the "pearl of the Adriatic." It has wonderful views of the sea from the streets of the Old Town. There people can sit at a café and sip coffee for the afternoon. It's easy to spend days wandering the city walls and seeing the sites. But be warned that it can get crowded in the summer tourist season. There are public beaches such as Banje while some hotels have their own private beaches. And the Dubrovnik Summer Festival, from July to August, ________ classical music concerts, ballet performances, and theatrical plays by artists from around the world.

For pure natural wonder, it's hard to beat the Plitvice Lakes. Though it takes a bit of traveling to get to, nature-lovers are sure not to be disappointed. There are sixteen waterfalls as well as numerous caves and forests of deer, bears, wolves, and many species of birds. There are many trails and paths to enjoy hiking or biking in the national park lands which are open all year round.

Grammar Note

16행: while의 의미

접속사 while은 시간(~하는 동안), 대조(~하는 반면), 양보(비록 ~이지만) 등의 의미로 쓰임.

The doorbell rang **while** I was watching TV. (시간)
내가 TV를 보고 있는 동안 초인종이 울렸다.

While some cats were sleeping, other cats were eating. (대조)
어떤 고양이들은 잠을 자는 반면에 다른 고양이들은 먹고 있었다.

While it was warm and sunny, no one was in the park except some joggers. (양보)
날씨는 따뜻하고 화창함에도 불구하고, 몇몇 조깅하는 사람들을 빼면 공원에 아무도 없었다.

정답 p.22

1 이 글의 목적은 무엇인가?

① 크로아티아의 생활 환경을 설명하려고
② 크로아티아의 지리적 특성을 알려 주려고
③ 크로아티아의 관광 명소를 소개하려고
④ 크로아티아의 독특한 문화를 공유하려고
⑤ 크로아티아를 방문하는 방법을 알려 주려고

2 이 글의 빈칸에 들어갈 말로 가장 알맞은 것은?

① donates
② features
③ rejects
④ predicts
⑤ detects

3 Dubrovnik에 대한 내용과 일치하지 않는 것은?

① 해안가와 인접하여 위치해 있다.
② 도시 안에 성벽이 자리 잡고 있다.
③ 진주가 많이 나는 곳으로 유명하다.
④ 전용 해변이 있는 호텔들이 들어서 있다.
⑤ 여름에 특히 많은 사람들이 찾는 장소이다.

4 이 글의 밑줄 친 beat와 의미가 가장 가까운 것은?

① analyze
② expose
③ worship
④ exceed
⑤ discard

WORDS

ancient [éinʃənt] 형 고대의
vacation [veikéiʃən] 동 휴가를 보내다
tourism [tú(:)ərizm] 명 관광 산업
sit [sit] 동 위치하다
architecture [á:rkitèktʃər] 명 건축(술)
flock [flɑk] 동 모이다
attraction [ətrǽkʃən] 명 명소, 명물; 매력
describe [diskráib] 동 묘사하다
Adriatic [èidriǽtik] 형 아드리아 해의
view [vju:] 명 경치, 광경
sip [sip] 동 ~을 홀짝홀짝 마시다
wander [wɑ́ndər] 동 배회하다
crowded [kráudid] 형 붐비는
private [práivit] 형 개인적인
feature [fí:tʃər] 동 ~의 특징을 이루다
pure [pjuər] 형 순수한
wonder [wʌ́ndər] 명 경이, 기적
disappointed [dìsəpɔ́intid] 형 실망한
waterfall [wɔ́:tərfɔ̀:l] 명 폭포
numerous [njú:mərəs] 형 수많은
trail [treil] 명 오솔길
path [pæθ] 명 길, 산책길
illegally [ilí:gəli] 부 불법으로
ship [ʃip] 동 (배로) 실어 나르다
primitive [prímitiv] 형 원시의
precious metal 귀금속

직독직해

Many tourists flock / to two other attractions / in the country.

It's easy / to spend days / wandering the city walls / and seeing the sites.

There are / sixteen waterfalls / as well as numerous caves and forests.

31 Culture of Bravery

ⓒ shutterstock/Patricia Hofmeester

The Maori people of New Zealand are well-known for their extraordinary bravery. An example of this is evident when Maori boys had to bungee jump as a rite of passage into adulthood. Were they crazy? Well, no. The ceremony was an important cultural trait for the Maori. As a test of courage, every boy, when he became a teenager, had to throw himself off the mountain with only flimsy protection tied to his ankle and jump into adulthood. ___(A)___ the bungee jumper came to the ground, ___(B)___ undeniably his courage was proven. Bungee jumping was merely one of many brave Maori feats, which also included taking death-defying rides in boats. The reason for such thrill-seeking activities was not simply to get an adrenaline rush. It was a type of cultural therapy.

Much can be learned from this Maori practice. Performing acts that we feel we cannot do allows us to break through the barriers of our limitations. Imagine if you went out and did something each day that you were scared to do. You would soon become a far more confident and stronger person. Like the Maori, you might identify something you are a bit scared to do, or that is slightly beyond your capability, and then push yourself through your doubts. There is no need to do something dangerous, just something you find challenging.

Grammar Note

14행: 형용사 역할을 하는 전치사구
전치사구는 부사구 역할뿐 아니라 명사를 후치 수식하는 형용사구의 역할도 함.

We need to find a solution to the problem.
우리는 그 문제에 대한 해결책을 찾아야 한다.

16행: 수동태 문장에서 조동사의 위치
[be+p.p.]형식의 수동태에서 조동사는 be동사 앞에 위치.

The work will be done by 6.
그 작업은 6시까지 완료될 것이다.

정답 p.23

1 마오리 족에 대한 내용과 일치하지 않는 것은?

① 산에서 번지 점프를 하였다.
② 뉴질랜드에 거주하는 민족이다.
③ 호전적인 성격으로 알려져 있다.
④ 소년들에게 번지 점프는 성인 의식이었다.
⑤ 번지점프보다 보트 타기가 더 용감한 행위였다.

2 이 글의 밑줄 친 flimsy와 의미가 가장 가까운 것은?

① adequate ② objective
③ technical ④ fragile
⑤ solid

3 이 글의 빈칸에 들어갈 말로 가장 알맞은 것은?

	(A)	(B)
①	The farther	the more
②	The stronger	the less
③	The closer	the more
④	The worse	the less
⑤	The weaker	the more

4 이 글의 필자가 주장하는 바로 가장 알맞은 것은?

① 위험한 일을 시도하는 것은 가치 있다.
② 할 수 없는 것을 포기하는 것도 용기이다.
③ 자신의 능력을 넘어서는 한계에 도전해야 한다.
④ 용감함이 때로는 위기에 처하게 할 수 있다.
⑤ 두려운 일이 있다면 신중하게 결정할 필요가 있다.

WORDS

- **extraordinary** [ikstrɔ́:rdənèri] 형 특별한
- **bravery** [bréivəri] 명 용기
- **evident** [évidənt] 형 분명한
- **rite** [rait] 명 의식, 의례
- **adulthood** [ədʌ́lthùd] 명 성인기
- **ankle** [ǽŋkl] 명 발목
- **ceremony** [sérəmòuni] 명 의식
- **trait** [treit] 명 특징, 특성
- **courage** [kɔ́:ridʒ] 명 용기
- **protection** [prətékʃən] 명 보호
- **ankle** [ǽnkl] 명 발목
- **undeniably** [ʌndináiəbli] 부 틀림없이
- **feat** [fi:t] 명 위업, 공적
- **death-defying** 아슬아슬한
- **rush** [rʌʃ] 명 세찬 움직임
- **therapy** [θérəpi] 명 치료, 요법
- **practice** [prǽktis] 명 관습
- **break through** 돌파하다, 뚫다
- **barrier** [bǽriər] 명 장벽
- **limitation** [lìmətéiʃən] 명 한계, 제한
- **confident** [kɑ́nfidənt] 형 자신 있는
- **identify** [aidéntəfài] 동 확인하다
- **capability** [kèipəbíləti] 명 능력
- **push oneself** 스스로 채찍질하다
- **doubt** [daut] 명 의심
- **challenging** [tʃǽlindʒiŋ] 형 도전적인, 흥미를 끄는

직독직해

Maori boys had to bungee jump / as a rite of passage / into adulthood.

The ceremony was / an important cultural trait / for the Maori.

Bungee jumping was / merely one / of many brave Maori feats.

32 Snow at the Equator

Mount Kilimanjaro is the tallest mountain in Africa. It is also the tallest free-standing mountain in the world. The extinct volcanic mountain rises close to 6,000 meters above sea level. Located in the country of Tanzania, it is almost exactly on the equator. Though it is located in the tropics, the top of the mountain is covered in snow and ice all year round. It doesn't have much change in seasons. Instead, it has a dry season and two rainy seasons.

The slopes of the mountain have volcanic soil to grow crops. On the southern slopes, there are fields for growing bananas, beans, millet, and even raising cattle. A little higher up, people grow coffee. Water for these crops comes from the rain which collects in forests to form small rivers. On the drier northern slopes, there are olive trees and juniper forests. Large animals such as elephants, buffalo, and warthogs can also be found.

The summit is too high for any plants or trees to grow. (A) It is so high up that it can snow there during the rainy seasons. (B) In fact, there are permanent glaciers covering much of it. (C) It was completely covered with glaciers in the 1880s. (D) If the trend continues, the top of Kilimanjaro will have no glaciers by 2060. (E) But even if this happens, rainfall will continue to feed the area's rivers.

* Mount Kilimanjaro: 킬리만자로 산

Grammar Note

5행: close to의 의미
close to는 '~와 가까이'라는 의미 외에도 숫자 표현 앞에 쓰여서 '거의'라는 의미로 쓰이기도 함.

I waited for the bus for **close to(= almost, nearly)** an hour.
나는 거의 한 시간 동안 버스를 기다렸다.

12행: 목적을 나타내는 for
for는 '~의 용도로, ~를 위해서'라는 의미로 용도, 목적을 나타냄.

A ruler is used **for** measuring length.
자는 길이를 측정하는 데 사용된다.

정답 p.23

1 **Mount Kilimanjaro에 대해 언급되지 않은 내용은 무엇인가?**

① the climate
② the height
③ the location
④ the mythology
⑤ the vegetation

2 **이 글의 밑줄 친 crops와 의미가 가장 가까운 것은?**

① tissue
② resource
③ sphere
④ rubbish
⑤ produce

3 **Mount Kilimanjaro에 대한 내용과 일치하는 것은?**

① 우기보다 건기가 더 지속된다.
② 화산 활동이 지금도 일어난다.
③ 우기 중에는 눈이 내리지 않는다.
④ 마실 수 있는 물은 빙하에서만 공급된다.
⑤ 커피는 콩보다 높은 지역에서 경작된다.

4 **다음 문장이 들어가기에 가장 알맞은 곳은?**

Today these have retreated about 85% since that time.

① (A) ② (B)
③ (C) ④ (D)
⑤ (E)

WORDS

free-standing 단독으로 서 있는
extinct [ikstíŋkt] 형 멸종한, 사라진
volcanic [vɑlkǽnik] 형 화산의
sea level 해수면
equator [ikwéitər] 명 적도
the tropics 열대 지방
all year round 1년 내내
slope [sloup] 명 경사
soil [sɔil] 명 토양
form [fɔ:rm] 동 형성하다
millet [mílit] 명 기장, 수수
cattle [kǽtl] 명 소
juniper [dʒú:nəpər] 명 향나무
warthog [wɔ́:rthɑ̀:g] 명 혹멧돼지
summit [sʌ́mit] 명 정상
permanent [pə́:rmənənt] 형 영구적인
glacier [gléiʃər] 명 빙하
trend [trend] 명 추세, 경향
feed [fi:d] 동 물을 공급하다, 흘려보내다

직독직해

The slopes of the mountain have / volcanic soil / to grow crops.

The summit is too high / for any plants or trees / to grow.

Even if this happens, / rainfall will continue / to feed the area's rivers.

Review Test

정답 p.24

[1~2] 밑줄 친 단어와 반대 의미의 단어를 고르시오.

1 The diagram illustrates the complexity of decision making.

① specialty ② capacity ③ possibility ④ reliability ⑤ simplicity

2 Public education should prepare children for adulthood.

① career ② economy ③ sociability ④ minority ⑤ independence

[3~5] 빈칸에 알맞은 단어를 〈보기〉에서 찾아 쓰시오.

보기	numerous	vacationed	extinct	evolved	crowded

3 My family ___________ in Italy last summer.

4 Mt. Halla is a(n) ___________ volcano.

5 Mark is a very sociable man and has ___________ friends.

6 **다음 빈칸에 들어갈 말이 다른 하나를 고르시오.**

① If you watch her perform, you will be sure ___________ impressed.
② I'll be sure ___________ there at 6.
③ His new movie is sure ___________ another masterpiece.
④ It's sure ___________ an exciting game.
⑤ I was pretty sure ___________ correct when I answered the quiz question.

[7~8] 밑줄 친 부분을 어법에 맞게 고쳐 쓰시오.

7 I put two bottles of waters in the backpack.

____

8 The meals will prepared by 5.

____

[9~10] 우리말과 뜻이 같도록 주어진 단어를 배열하여 문장을 완성하시오.

9 사람들은 시리얼을 10만 년 이상 먹어 왔다.
(people / for / been / have / cereal / more than / eating / 100,000 years)

____

10 뉴질랜드의 마오리 족은 탁월한 용맹함으로 유명하다.
(their extraordinary bravery / are / the Maori people of New Zealand / for / well-known)

____

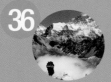

09 UNIT

33 Temples in the Forest

The greatest collection of Buddhist temples in the world lies in a location with very few visitors. Not many people know of it because tourism there is strictly controlled. But it is regarded as comparable to the famous Angkor sites of Cambodia. It is the ancient city of Bagan in Myanmar which was once the capital of the Bagan Kingdom. This kingdom lasted from 1057 to 1287 and was the first to control the Irrawaddy River valley.

The city of Bagan at one time had more than 13,000 Buddhist temples and other religious structures. Its kings thought that building a temple would earn religious merit. Its temples featured wall paintings and carvings and statues of the Buddha. Marco Polo called Bagan a golden city filled with the sounds of bells and monk's robes. Though not reaching the city itself, the Mongol invasions ended the kingdom and left the city abandoned. Today only about 2,230 structures remain, with another 2,000 or so in ruins.

The Ananda Temple at Bagan is one of the most famous. It was built around 1105 AD. It is one of only four temples which still operate today. The ground plan is a cross and there are four Buddha statues facing North, South, East, and West. In its annual week-long festival, a thousand monks chant scriptures continuously for 72 hours. Another notable attraction is the Shewsandaw Temple, also known as the "sunset" temple because tourists love to climb it for a view of the sunset.

* **Bagan**: 바간, 11세기에서 13세기 버마족 바간 왕조의 수도

Grammar Note

3행: not many[much], only a few[little]
not many는 few, not much는 little과 뜻이 같음.

Not many (=Few) people showed up at the party.
파티에 온 사람은 거의 없었다.

Not much (=Little) is known about the country.
그 나라에 대해 알려진 것은 거의 없다.

9행: [최상급 표현+(명사)]+to부정사
[최상급 표현+(명사)]를 후치 수식할 경우 to부정사의 형용사적 용법이 적용.

Lindberg was the first pilot **to fly** across the Atlantic.
린드버그는 대서양을 횡단하여 비행한 최초의 비행사였다.

정답 p.24

1 **이 글의 제목으로 가장 알맞은 것은?**

① The Architectural Features in Bagan
② Bagan's Past, Present and Future
③ The Mystery of Temples of Bagan
④ Unknown Bagan and Its Temples
⑤ How to Understand Bagan's Religion

2 **the City of Bagan에 대한 내용과 일치하지 않는 것은?**

① 오늘날 단 네 개의 사원만이 운영 중이다.
② 과거에 200년 이상 동안 왕국의 수도였다.
③ 몽골의 침입으로 도시가 완전히 파괴되었다.
④ 관광객들이 쉽게 출입할 수 없는 장소이다.
⑤ 그곳의 왕들은 종교적인 이유로 사원을 건축했다.

3 **이 글의 밑줄 친 chant와 의미가 가장 가까운 것은?**

① recite
② foretell
③ confess
④ release
⑤ announce

4 **이 글에서 유추할 수 있는 내용은 무엇인가?**

① 바간에 존재하는 사원들은 역사가 2000년이 넘었다.
② 마르코 폴로는 바간에서 많은 황금을 발견했다.
③ 바간 왕국은 불교 이외의 다른 종교들이 존재했다.
④ 몽골인들은 종교로서 불교를 지지하지 않았다.
⑤ 바간의 관광 산업은 앙코르 유적지를 능가할 것이다.

WORDS

collection [kəlékʃən] 명 집단
Buddhist temple 불교 사원
location [loukéiʃən] 명 위치, 장소
strictly [stríktli] 부 엄격히
be regarded as ~로 여겨지다
comparable [kámpərəbl] 형 비교할 만한
ancient [éinʃənt] 형 고대의
capital [kǽpitəl] 명 수도
kingdom [kíŋdəm] 명 왕국
religious [rilídʒəs] 형 종교적인
merit [mérit] 명 가치; 장점
feature [fí:tʃər] 동 ~의 특징을 이루다
carving [ká:rviŋ] 명 조각, 조각물
statue [stǽtʃu:] 명 상, 조각상
monk [mʌŋk] 명 수도승
robe [roub] 명 옷, 예복
invasion [invéiʒən] 명 침입, 침략
abandoned [əbǽndənd] 형 버림받은
operate [ápərèit] 동 운영하다
ground plan 평면도, 기초안
annual [ǽnjuəl] 형 연례의
scripture [skríptʃər] 명 경전
notable [nóutəbl] 형 주목할 만한
sunset [sʌ́nset] 명 일몰, 해질녘
climb [klaim] 동 오르다

직독직해

Not many people know / of it / because tourism there / is strictly controlled.

Its kings thought that / building a temple would earn / religious merit.

It is / one of only four temples / which still operate today.

---

34 All Aboard

© shutterstock/Faraways

Anyone who loves traveling by train will love the hugely famous Orient Express which is the name of a long-distance passenger train. Though its route has changed many times, the train has been known for intriguing and luxurious travel. The original route of the Orient Express dates back to 1883, when the train left the Gare de l'Est in Paris on a sunny morning in October. The train was bound for the city of Giurgiu in Romania via Munich and Vienna.

The train itself is nothing short of amazing. The service and luxurious surroundings far <u>outdo</u> the finest five-star hotels in Europe. Romance and adventure are all intimately bound up in luxury train journeys that crisscross through the sublime scenery of Europe and between some of the continent's most alluring cities. Each compartment is ________. This adds a sense of mystery to the journey — not knowing who your neighbors might be. Only the finest cuisine is served in the dining car. Of course, if you want to remain a mystery passenger, your meals can be delivered directly to your compartment.

The Orient Express has been used as background in many novels and movies. Of them *Murder on the Orient Express* — a work of detective fiction by Agatha Christie — is best known to us. If you feel like having a good time on a train admiring beautiful scenery, don't forget the Orient Express.

Grammar Note

23행: be known(알려지다)+to/as/for

be known은 전치사 to, as, for와 결합해서 사용.

She **is known to** many people.
그녀는 많은 사람들에게 알려져 있다.

She **is known as** an actor.
그녀는 배우로서 알려져 있다.

She **is known for** starring in *Star Wars* movies.
그녀는 〈스타워즈〉 영화에 출연한 것으로 알려져 있다.

정답 p.25

1 이 글에서 언급되지 않은 내용은 무엇인가?

① 오리엔트 특급의 크기
② 오리엔트 특급의 역사
③ 오리엔트 특급의 경유지
④ 오리엔트 특급의 요리 수준
⑤ 오리엔트 특급의 서비스 환경

2 이 글의 밑줄 친 outdo와 의미가 가장 가까운 것은?

① share
② excel
③ punish
④ establish
⑤ promote

3 이 글의 내용과 일치하는 것은?

① 최초의 오리엔트 특급은 뮌헨에서 출발했다.
② 오리엔트 특급은 노선의 변화 없이 운행해왔다.
③ 오리엔트 특급은 여러 영화에서 배경으로 등장한다.
④ 오리엔트 특급은 식당칸에서만 식사가 가능하다.
⑤ 아가사 크리스티는 오리엔트 특급에서 살인 사건을 목격했다.

4 이 글의 빈칸에 들어갈 말로 가장 알맞은 것은?

① very friendly
② always empty
③ totally private
④ quite spacious
⑤ a social club

WORDS

passenger [pǽsənʤər] 명 승객
route [ru:t] 명 길, 노선
intriguing [intríːgiŋ] 형 매력적인
luxurious [lʌgʒú(:)riəs] 형 호화로운
date back ~까지 거슬러 올라가다
be bound for ~행이다
nothing short of 아주 ~한
surroundings [səráundiŋz] 명 환경
intimately [íntəmətli] 부 밀접하게
be bound up in ~와 관련이 있다
sublime [səbláim] 형 숭고한, 고상한
scenery [síːnəri] 명 풍경, 경치
alluring [əlú(:)əriŋ] 형 매혹적인
compartment [kəmpáːrtmənt] 명 칸, 객실
add [æd] 동 더하다
mystery [místəri] 명 신비
cuisine [kwizíːn] 명 요리, 요리법
remain [riméin] 동 남다
meal [miːl] 명 식사
deliver [dilívər] 동 배달하다
background [bǽkgraund] 명 배경
fiction [fíkʃən] 명 소설
admire [ædmáiər] 동 감탄하며 바라보다

직독직해

The original route / of the Orient Express / dates back / to 1883.

Your meals can be delivered / directly / to your compartment.

The Orient Express has been used / as background / in many novels and movies.

---

35 Theories about Dreams

Dreams have been a mystery to us since humans have walked on the earth, and we have tried to understand dreams. In many ancient societies, dreaming was considered a supernatural communication or a means of divine intervention, whose message could be unravelled by those with certain powers.

In modern times, various schools of psychology have offered theories about the meaning of dreams. (A) In other words, dreaming is something the brain does involuntarily, and no one should put much credence in a dream's significance. (B) They are thought to be nothing more than random events with no relationship to our daily lives and emotional attributes. (C) Some of those who study the mechanics of the brain believe that dreams are meaningless. Others believe that dreaming is a way for us to revisit experiences or emotions, just in a different form. This means that stressful or traumatic events that we experience ________ we are awake may be repeated under the guise of a different situation in a dream.

The obvious reason scientists have not discovered the importance of dreaming is that the study of dreams is secondhand. It's all theory, because research cannot be based upon observational data that the scientists collect for themselves. There is no way to capture a person's dream images, nor to measure the level of emotional impact or involvement while in the dream state.

Grammar Note

5행: 5형식 동사 수동태 전환
목적어를 주어 자리로 보내고 목적보어는 그 자리에 그대로 둠.

I was invited to participate in the game.
(→ Someone invited me to participate in the game.)
나는 그 게임에 참가할 것을 초청받았다.

14행: 관계대명사절의 수식을 받는 those
관계대명사절의 수식을 받는 those는 '~하는 사람들'의 뜻을 나타냄.

Those who have watched the movie strongly recommend it.
그 영화를 본 적이 있는 사람들은 그 영화를 강력히 추천한다.

정답 p.25

1 이 글의 내용과 일치하지 않는 것은?

① 대다수의 고대인들은 꿈을 해석하는 능력이 있었다.
② 꿈에 관한 여러 이론이 제시되었다.
③ 일부 학파는 꿈의 중요성을 믿지 말 것을 주장한다.
④ 아직 과학적으로 꿈 이미지를 포착하는 방법은 없다.
⑤ 일부 학파는 꿈이 우리의 경험과 감정을 반영한다고 생각한다.

2 이 글의 (A)~(C)를 글의 흐름에 맞게 배열한 것은?

① (A)–(B)–(C)
② (B)–(A)–(C)
③ (B)–(C)–(A)
④ (C)–(A)–(B)
⑤ (C)–(B)–(A)

3 이 글의 빈칸에 들어갈 말로 가장 알맞은 것은?

① for
② that
③ in which
④ which
⑤ while

4 과학자들이 꿈이 무엇인지에 대해 입증할 수 없는 이유를 찾아 영어로 쓰시오.

____

WORDS

mystery [místəri] 명 신비, 수수께끼
supernatural [sù:pərnǽtʃərəl] 형 초자연의
means [mi:nz] 명 수단, 방법
divine [diváin] 형 신의, 신성한
intervention [ìntərvénʃən] 명 개입, 간섭
unravel [ʌnrǽvəl] 동 풀다, 해결하다
psychology [saikɑ́lədʒi] 명 심리학
involuntarily [invɑ́ləntèrəli] 부 모르는 사이에
credence [krí:dəns] 명 신용, 신뢰
significance [signífikəns] 명 중요성
random [rǽndəm] 형 무작위의
attributes [ǽtrəbjù:ts] 명 특성, 속성
mechanics [məkǽniks] 명 역학
stressful [strésfəl] 형 스트레스가 많은
traumatic [trɔ:mǽtik] 형 대단히 충격적인
guise [gaiz] 명 가장
secondhand [sékəndhǽnd] 형 간접적인
observational [ɑ̀bzərvéiʃənl] 형 관찰의
capture [kǽptʃər] 동 붙잡다
measure [méʒər] 동 측정하다
impact [ímpækt] 명 영향; 충돌
involvement [invɑ́lvmənt] 명 관련, 연루

직독직해

In other words, / dreaming is something / the brain does / involuntarily.

____

Dreaming is / a way / for us / to revisit experiences or emotions.

____

There is no way / to capture / a person's dream images.

____

36 Dream Came True

Junko Tabei of Japan achieved an extraordinary feat in 1975, becoming the first female to reach the submit of Mount Everest. Until that point, only male climbers had been successful in reaching the peak. The journey was as difficult as it sounds. Only a few days into the journey, she was buried alive by an avalanche. She was able to escape barely, but it left her body covered with bruises. Although injured and in pain, she led herself and her team to the top. (A)

Junko's dream of conquering Mount Everest started many years prior to 1975. In fact, she was only a 10-year-old child when the dream crystallized. (B) Junko's first major accomplishment was when a Japanese newspaper decided to send an all-female climbing team to Nepal to climb Mount Everest. Junko was chosen as one of the fifteen women from hundreds of applicants. (C)

After Junko reached the top of Mount Everest, she continued her mountain climbing career, always striving to accomplish more. She was the first woman to climb the Seven Summits, which are the highest peaks on each continent. (D) Junko was described as a weak child but fearlessly took on mountain climbing at a young age to overcome beliefs that ________ could limit her. (E) By strengthening her body step by step, Junko accomplished great feats of endurance. Her story shows us the benefit of conquering our fear, thereby turning our weakness into strength.

Grammar Note

8행: 유사보어

유사보어는 보어가 없어도 되는 문장에 추가되어 쓰이는 보어.

The couple married young.
(= The couple married when they are young.)
그 커플은 젊어서 결혼했다.

23행: 동격의 that절

that이 이끄는 명사절은 앞의 명사와 동격을 이룰 수 있음.

The fact that Jerry is Kevin's brother was very surprising.
제리가 케빈의 형이라는 사실은 매우 놀라웠다.

정답 p.26

1 이 글의 제목으로 가장 알맞은 것은?

① 두려움 없는 산악인
② 7 대륙의 최고봉
③ 산사태의 위험성
④ 세계에서 가장 높은 산
⑤ 산악 훈련의 필요성

2 이 글의 빈칸에 들어갈 말로 가장 알맞은 것은?

① physical strength
② financial problems
③ previous experience
④ physical weakness
⑤ emotional immaturity

3 이 글의 분위기로 가장 적절한 것은?

① humorous
② festive
③ calm
④ inspiring
⑤ tragic

4 다음 문장이 들어가기에 가장 알맞은 곳은?

> Junko and the women trained and headed to Katmandu to conquer the mountain.

① (A)
② (B)
③ (C)
④ (D)
⑤ (E)

WORDS

achieve [ətʃíːv] 동 성취하다
extraordinary [ikstrɔ́ːrdənèri] 형 엄청난
feat [fiːt] 명 위업, 공적
peak [piːk] 명 정상
summit [sʌmit] 명 정상, 꼭대기
journey [dʒə́ːrni] 명 여행, 여정
bury [béri] 동 묻다, 묻히다
alive [əláiv] 형 살아 있는
avalanche [ǽvəlæ̀ntʃ] 명 산사태, 눈사태
escape [iskéip] 동 탈출하다
bruise [bruːz] 명 멍, 타박상
conquer [káŋkər] 동 정복하다
prior to ~에 앞서, ~보다 먼저
crystallize [krístəlàiz] 동 확고히 하다, 구체화하다
accomplishment [əkámpliʃmənt] 명 성취, 업적
climb [klaim] 동 오르다
strive [straiv] 동 분투하다
continent [kántənənt] 명 대륙
fearlessly [fíərlisli] 부 겁 없이
overcome [òuvərkʌ́m] 동 극복하다
limit [límit] 동 제한하다
feat [fiːt] 명 위업, 업적
endurance [indjú(ː)ərəns] 명 인내
thereby [ðɛərbái] 부 그렇게 함으로써

직독직해

Only male climbers / had been successful / in reaching the peak.

She was / only a 10-year-old child / when the dream crystallized.

Junko fearlessly / took on mountain climbing / at a young age.

Review Test

정답 p.26

[1~2] 밑줄 친 단어와 비슷한 의미의 단어를 고르시오.

1 The two cars are <u>comparable</u> in their performance.
① valuable ② similar ③ poor ④ different ⑤ superior

2 We've just moved in, and will need some time to get familiar with new <u>surroundings</u>.
① customs ② laws ③ environment ④ school ⑤ people

[3~5] 빈칸에 알맞은 단어를 〈보기〉에서 찾아 쓰시오.

보기	zenith	achieved	merit	divine	abandoned

3 Many political leaders in ancient societies were considered to be ___________.

4 His diet plan was successful. He ___________ the goal of losing 30 kg.

5 One ___________ of this plan is that it is very easy to carry out.

6 밑줄 친 with의 쓰임이 다른 하나를 고르시오.

① He opened the cabinet <u>with</u> the key.
② The sauce is made <u>with</u> tomato and milk.
③ She cut a piece of wood <u>with</u> a saw.
④ He was snoring <u>with</u> his mouth wide open.
⑤ I wrote down her phone number <u>with</u> a pencil.

[7~8] 밑줄 친 부분을 어법에 맞게 고쳐 쓰시오.

7 For <u>that</u> who have any questions, please call us at 555-6443.

____

8 Mahatma Gandhi is known <u>for</u> the Father of India.

____

[9~10] 우리말과 뜻이 같도록 주어진 단어를 배열하여 문장을 완성하시오.

9 그것들은 그저 무작위의 사건에 불과하다고 여겨진다.
(are / random events / thought / nothing more than / they / to be)

____

10 그녀는 산사태로 인해 산 채로 파묻혔다.
(alive / an avalanche / was / by / she / buried)

____

10 UNIT

37

Quick and Easy
맛있지만 줄여야 할

38

Directing a Film
영화감독은 아무나 하나

39

Dying to Be Thin
도대체 왜 안 먹니

40

Disaster from Below
거대 지진

37 Quick and Easy

Today, you cannot walk outside without seeing a McDonald's, a Burger King, a KFC, or some other fast food joint. Hundreds of these fast food restaurants open every day around the world, and it is a big "fat" business.

The first fast food stands appeared in ancient Rome. The Romans enjoyed this quickly prepared food, and it consisted mainly of bread and wine. In Asia, ancient fast food was served up at noodle stands. In the Middle East, the street food fare was falafel, a mixture of beans and spices. And in India, potato pancakes have been prepared and eaten by pedestrians for hundreds and hundreds of years. In general, these ancient fast food corners prepared their regions' comfort food in a healthy manner. Those days are over, though.

Today's giant corporations are serving high calorie, high fat, highly processed food that is directly linked to heart disease and many other ailments. Today, countries are waging war against fast food. The Malaysian government has banned fast food advertisements during children's TV programs. In the U.S., an area of Los Angeles, California, has banned the building of more fast food chains for a period of time. This poorer district of L.A. wants to educate parents and consumers in this area about the problems with a fast food diet. This is not an easy task. Fast food is cheap, and generally it tastes very good. Old habits die hard!

Grammar Note

1행: 동명사 관용표현
[not ~ without+동명사]는 '~할 때는 언제나 …한다'라는 의미.

You cannot walk outside without seeing cafés these days.
요새는 밖을 걸을 때면 언제나 커피숍을 본다.

16, 18행: 현재진행형의 의미
현재진행형은 최근 일시적으로 반복되거나 진행 중인 일에 사용.

My uncle is looking for a new job.
우리 삼촌은 새 직장을 구하는 중이다.

정답 p.27

1 **이 글의 주제로 가장 알맞은 것은?**

① 패스트푸드 사업의 문제점
② 패스트푸드의 가격이 싼 이유
③ 전 세계적인 패스트푸드 체인점
④ 고대 로마의 패스트푸드 판매대
⑤ 패스트푸드의 과거와 현재

2 **요즘의 패스트푸드를 설명한 내용이 아닌 것은?**

① 고지방
② 고비용
③ 고칼로리
④ 건강에 해로움
⑤ 지나친 가공식품

3 **이 글의 내용과 일치하는 것은?**

① 팔라펠은 국수와 양념을 섞은 음식이다.
② 고대 로마인들은 감자 팬케이크를 즐겨 먹었다.
③ 캘리포니아 주에서는 더 이상 패스트푸드점을 세울 수 없다.
④ 고대 아시아에서는 국수 판매대에서 패스트푸드를 먹었다.
⑤ 인도 정부는 패스트푸드 광고를 금지시켰다.

4 **이 글의 밑줄 친 This가 의미하는 것을 찾아 우리말로 쓰시오.**

____

WORDS

fat [fæt] 형 벌이가 좋은
stand [stænd] 명 가판대
appear [əpíər] 동 나타나다, 출연하다
consist of ~로 구성되다
noodle [nú:dl] 명 국수, 면
fare [fɛər] 명 식사, 음식
mixture [míkstʃər] 명 혼합, 혼합물
bean [bi:n] 명 콩
spice [spais] 명 양념, 향신료
pedestrian [pədéstriən] 명 보행자, 도보 여행자
comfort [kʌ́mfərt] 명 안락, 편안
disease [dizí:z] 명 질병, 병
ailment [éilmənt] 명 병, 질환
wage war against ~에 대한 전쟁을 하다
ban [bæn] 동 금지하다
consumer [kənsú:mər] 명 소비자
task [tæsk] 명 일, 과제
die hard 쉽게 사라지지 않다

직독직해

The first fast food stands / appeared / in ancient Rome.

____

In Asia, / ancient fast food / was served up / at noodle stands.

____

Today, / countries are waging war / against fast food.

____

38 Directing a Film

A film director drives the overall process of creating a film. The producer may have the <u>initial</u> idea for the film, hire the director, and raise money for the film. However, the director makes the actual film. The director brings a movie's script to life on the screen. And they must do this while staying within a budget.

The director is involved in all three stages of making a film, the pre-production, production, and post-production. In pre-production, the director hires the appropriate actors to play the parts. They also plan how to shoot the film and where to shoot it, in a studio or on location. They can also choose the staff that will become the film's crew. During the production stage, the director is actually making the film. Here they tell the actors where to stand and how to act according to the script. They also supervise the camera, the sound, the lighting, and the design of the scenes.

After all the film is shot, the film moves to post-production. This means ________ the film to make it ready for showing. The film's sound levels are adjusted, sound effects are added, and visual effects may be included. Finally, the film is edited in length to make the scenes flow smoothly. Although it takes a large staff to do all this, the director is there to supervise everything. In the end, the public credits the director for a film well made.

Grammar Note

13행: 의문사+to부정사
의문사가 이끄는 명사절을 대신해서 [의문사+to부정사]로 간단히 쓰기도 함.

He doesn't even know **how to respond** to that.
그는 그것에 어떻게 응답해야 하는지도 모른다.
(=He doesn't even know **how he should respond** to that.)

24행: It takes+목적어+to부정사
[It takes+목적어+to부정사]는 '~하는 데 목적어가 필요하다'는 뜻이며, 목적어의 자리에는 돈, 시간, 노력 등 다양한 표현들이 가능.

It **took courage to admit** that I was wrong.
내가 틀렸다는 것을 인정하는 데 용기가 필요했다.

정답 p.28

1 이 글의 목적으로 가장 적절한 것은?

① 영화감독이 하는 역할을 소개하기 위해
② 영화 촬영 기법의 다양성을 보여 주기 위해
③ 영화 제작자가 되는 과정을 알려 주기 위해
④ 영화감독의 심리적 압박감을 설명하기 위해
⑤ 영화 산업의 현재와 미래를 조명하기 위해

2 이 글의 밑줄 친 initial과 의미가 가장 가까운 것은?

① proper
② prudent
③ definite
④ incredible
⑤ original

3 이 글에 따르면 영화감독이 하는 일이 아닌 것은?

① 영화 제작을 위한 직원을 뽑는다.
② 영화를 위한 자금을 융통한다.
③ 촬영 장소에 대한 계획을 주관한다.
④ 음향 및 시각 효과를 감독한다.
⑤ 작품에 적합한 배우들을 선정한다.

4 이 글의 빈칸에 들어갈 말로 가장 알맞은 것은?

① bringing up
② pushing up
③ blowing up
④ backing up
⑤ polishing up

WORDS

drive [draiv] 동 추진하다
overall [òuvərɔ́:l] 형 전반적인
hire [haiər] 동 고용하다
bring [briŋ] 동 ~을 가져오다
budget [bʌ́dʒit] 명 예산, 재정
be involved in ~에 관련되다
stage [steidʒ] 명 단계
production [prədʌ́kʃən] 명 제작
appropriate [əpróupriət] 형 적절한
shoot [ʃu:t] 동 촬영하다
choose [tʃu:z] 동 선택하다
supervise [sú:pərvàiz] 동 감독하다
adjust [ədʒʌ́st] 동 조정하다
include [inklú:d] 동 포함하다
edit [édit] 동 편집하다
flow [flou] 동 흐르다
smoothly [smú:ðli] 부 순조롭게
credit [krédit] 동 인정하다

직독직해

A film director drives / the overall process / of creating a film.

They can also choose / the staff / that will become the film's crew.

The film is edited / in length / to make the scenes flow smoothly.

39 Dying to Be Thin

(A) One of the most common eating disorders is anorexia. People with anorexia have such an intense fear of gaining weight that they are not able to think clearly. They restrict their eating. Sometimes they eat nothing at all. They exercise far too much. Bulimia is another common eating disorder. Unlike anorexia, people with bulimia start eating excessively, but they make themselves vomit after they eat.

(B) Sometimes watching too much TV, seeing flawless actors in movies, and reading glossy magazines foster a sense of inferiority in the average person. When people feel bad about themselves, they sometimes do strange things, like starving themselves, exercising too much, or wearing too much make-up. In extreme cases, they may develop eating disorders, which can be life-threatening.

(C) People with anorexia or bulimia may become dangerously thin, weighing less than 85% of their normal body weight. They have dry skin and lips, thin hair on their heads, bad teeth, pale skin, sunken eyes, and excess hair growth all over their bodies.

Both anorexia and bulimia lead to serious physical and psychological problems. They can cause heart disease, dehydration, light-headedness, and an inability to have children later in life. Although women are more likely than men to develop eating disorders, men may be affected as well.

* anorexia: 거식증

* bulimia: 과식증

Grammar Note

3행: such의 어순
such는 단수 가산명사와 함께 쓰일 때 [such+a(n)+(형용사)+명사]의 어순을 취함.

I've never seen **such a (large) house** before.
전에 이렇게 큰 집을 본 적이 없다.

9, 12행: 재귀대명사
동사의 행위의 대상이 주어 자신일 때 목적어는 재귀대명사를 취함.

You need to love **yourself**.
너는 너 자신을 사랑해야 한다.

정답 p.28

1 이 글의 내용과 일치하지 않는 것은?

① 거식증에 걸린 사람은 전혀 먹지 않을 때도 있다.
② 거식증에 걸린 사람은 지나친 운동을 피한다.
③ 과식증에 걸린 사람은 먹은 음식을 토하는 특성이 있다.
④ 거식증과 과식증은 사람의 외모를 상하게 할 수 있다.
⑤ 남성은 여성보다 상대적으로 섭식 장애의 가능성이 낮다.

2 이 글의 밑줄 친 flawless와 의미가 가장 가까운 것은?

① lame
② defective
③ perfect
④ sincere
⑤ favorable

3 이 글의 (A)~(C)를 글의 흐름에 맞게 배열한 것은?

① (A)–(B)–(C)
② (B)–(A)–(C)
③ (B)–(C)–(A)
④ (C)–(A)–(B)
⑤ (C)–(B)–(A)

4 거식증에 걸린 사람들이 명료하게 생각하지 못하는 이유를 찾아 우리말로 쓰시오.

____

WORDS

- **common** [kɑ́mən] 형 일반적인
- **disorder** [disɔ́:rdər] 명 이상, 장애
- **anorexia** [æ̀nəréksiə] 명 거식증
- **intense** [inténs] 형 격렬한, 극도의
- **restrict** [ristríkt] 동 제한하다
- **bulimia** [bju:límiə] 명 과식증
- **excessively** [iksésivli] 부 지나치게
- **vomit** [vɑ́mit] 동 음식을 토하다
- **glossy** [glɑ́si] 형 광택 있는
- **foster** [fɔ́(:)stər] 동 조장하다
- **inferiority** [infìəriɔ́(:)rəti] 명 열등, 하위
- **average** [ǽvəridʒ] 형 평균적인
- **starve** [stɑ:rv] 동 굶주리다
- **make-up** 화장
- **extreme** [ikstrí:m] 형 극단적인
- **normal** [nɔ́:rməl] 형 정상적인
- **sunken** [sʌ́ŋkən] 형 움푹 들어간
- **physical** [fízikəl] 형 신체적인
- **psychological** [sàikəlɑ́dʒikəl] 형 심리적인
- **dehydration** [dì:haidréiʃən] 명 탈수증
- **light-headedness** 현기증
- **inability** [ìnəbíləti] 명 무능, 불능

직독직해

One / of the most common eating disorders / is anorexia.

____

Unlike anorexia, / people with bulimia / start eating / excessively.

____

They may develop / eating disorders, / which can be life-threatening.

____

40 Disaster from Below

The Indian Ocean earthquake of 2004 was what is called an undersea megathrust earthquake. This tragic earthquake was caused by a process called subduction. In geology, we learn that as plates come together, one plate ___(A)___ under the earth's mantle. There are many places on the earth where plates ___(B)___, and understandably, these areas are known for earthquakes and volcanoes.

The massive earthquake back in 2004 was in a location that had been quiet for a long period of time. When it ruptured, it created a tsunami that was one of the deadliest natural disasters in history, killing 230,000 people in fourteen countries. People were killed by the massively high waves that hit the coastal towns of Indonesia, Sri Lanka, India, and Thailand. It was the second largest earthquake ever recorded and also lasted longer than any other earthquake ever recorded.

After there is an earthquake, the earth continues to shake for several days, weeks, or months sometimes. These shakes are called aftershocks. The aftershocks from the 2004 earthquake occurred daily for the next three to four months. As an earthquake and its aftershocks are so powerful, they can cause fires, volcanoes, and the destruction of buildings. One positive result of the 2004 tsunami is that now most coastal cities around the world have evacuation plans in case of future threats of earthquakes and resulting tsunamis.

* megathrust earthquake: 거대 지진

Grammar Note

11행: 최상급 표현 1
[one of the 최상급+복수 명사]는 '가장 ~한 것들 중 하나'의 뜻으로 쓰임.

She is **one of the most popular singers** in the world.
그녀는 세계에서 가장 인기 있는 가수 중 한 명이다.

14행: 최상급 표현 2
[비교급 than any other+단수 명사]는 '~보다 더 …하다'의 뜻으로 최상급 표현.

The country produces **more gold than any other country** in the world.
그 나라는 세계의 어떤 다른 나라보다 더 많은 금을 생산한다.

정답 p.29

1 두 번째 문단의 주제는 무엇인가?

① 지진에 대비한 다양한 예방책
② 지진으로 발생한 지진 해일
③ 지진이 발생한 지역적 특성
④ 지진 해일의 역사적인 배경
⑤ 지진과 여진의 차이점

2 이 글의 빈칸에 들어갈 말로 가장 알맞은 것은?

	(A)	(B)
①	separates	interact
②	covers	break
③	crashes	communicate
④	sinks	meet
⑤	melts	disappear

3 이 글에서 언급한 2004년 지진의 내용과 일치하지 않는 것은?

① 역사상 두 번째로 큰 지진이었다.
② 오랜 기간 발생하지 않은 지역에서 일어났다.
③ 3~4개월 동안 여진이 이어졌다.
④ 동남아시아 국가의 해안 도시에 피해를 주었다.
⑤ 뒤따라 발생한 여진으로 약 23만 명이 죽었다.

4 이 글의 어조는 무엇인가?

① epic ② poetic
③ sarcastic ④ persuasive
⑤ informative

WORDS

earthquake [ə́:rθkwèik] 명 지진
tragic [trǽdʒik] 형 비극적인
process [prɑ́ses] 명 과정
subduction [səbdʌ́kʃən] 명 섭입
geology [dʒiɑ́lədʒi] 명 지질학
plate [pleit] 명 판
understandably [ʌndərstǽndəbli] 부 당연하게도
massive [mǽsiv] 형 거대한, 막대한
rupture [rʌ́ptʃər] 동 터지다, 파열하다
tsunami [tsunɑ́:mi] 명 쓰나미, 지진 해일
deadly [dédli] 형 치명적인
disaster [dizǽstər] 명 재난, 재해
coastal [kóustəl] 형 해안의
aftershock [ǽftərʃɑ̀k] 명 여진
occur [əkə́:r] 동 발생하다
destruction [distrʌ́kʃən] 명 파괴
positive [pɑ́ztiv] 형 긍정적인
evacuation [ivæ̀kjuéiʃən] 명 피난, 대피
threat [θret] 명 위협, 우려

직독직해

This tragic earthquake / was caused / by a process / called subduction.

It was one / of the deadliest natural disasters / in history.

Now most coastal cities / around the world / have evacuation plans.

Review Test

정답 p.29

[1~2] 밑줄 친 단어와 반대 의미의 단어를 고르시오.

1 A rabbit appeared from behind a tree.
① approached ② attacked ③ slept ④ showed ⑤ vanished

2 He stood shivering with intense cold.
① common ② extreme ③ moderate ④ nasty ⑤ powerful

[3~5] 빈칸에 알맞은 단어를 〈보기〉에서 찾아 쓰시오.

보기	supervise	inferiority	comfort	tragic	adequate

3 The story of the movie was so ____________ that it made many people cry.

4 The manager's job is to ____________ the construction of the building.

5 This armchair provides ____________ and convenience.

6 밑줄 친 부분 중 용법이 다른 하나를 고르시오.

① Learn to love yourself before you love others.
② The movie itself is good, but I didn't like the actors.
③ I fell and hurt myself yesterday.
④ The machine turns itself off when it is not used.
⑤ She taught herself Chinese and Spanish.

[7~8] 밑줄 친 부분을 어법에 맞게 고쳐 쓰시오.

7 India is one of the larger countries in the world.

____

8 We will discuss when to holding the event.

____

[9~10] 우리말과 뜻이 같도록 주어진 단어를 배열하여 문장을 완성하시오.

9 여러분은 밖에 나가기만 하면 맥도널드를 쉽게 볼 수 있다.
(seeing a McDonald's / cannot / without / walk outside / you)

____

10 여자들이 남자들에 비해서 섭식 장애에 걸릴 가능성이 더 높다.
(are / than men / more likely / to develop / women / eating disorders)

____

memo

memo

memo

MP3 바로가기

전면 개정판

THIS

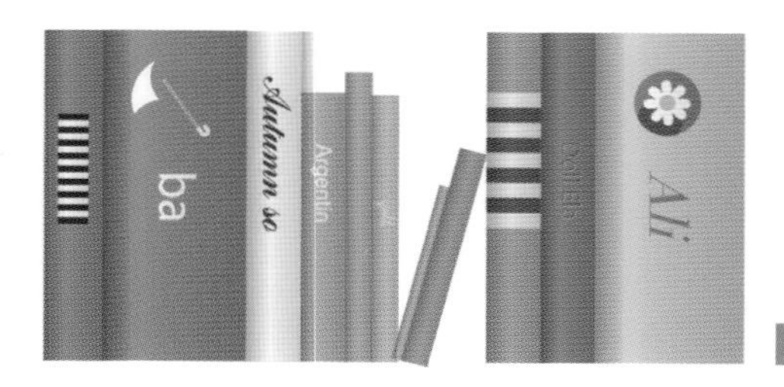

독해의
확실한 해결책

IS

READING

With Workbook
어휘 테스트
통문장 영작
본문 요약 완성

넥서스영어교육연구소 지음

Workbook

NEXUS Edu

Unit 01 01 Mystery from the Seas

A 영어는 우리말로, 우리말은 영어로 쓰시오.

1 possession ____________

2 clue ____________

3 exact ____________

4 era ____________

5 destroy ____________

6 defeat ____________

7 탈출하다 ____________

8 공예품 ____________

9 신원, 정체 ____________

10 제국, 왕국 ____________

11 주요한 ____________

12 부족, 집단 ____________

B 우리말과 뜻이 같도록 주어진 단어를 사용하여 문장을 완성하시오.

1 제니퍼는 지금 선생님으로 일하고 있다고 한다.
(Jennifer, say, to be working, as a teacher)

____

2 짧은 배우 경험을 감안하면, 그는 그 배역을 매우 잘 해냈다.
(given, short experience, as an actor, act, role, well)

____

3 문제는 그 행사가 어디서 개최되는지 아무도 모른다는 것이다.
(the problem, no one, know, where, the event, hold)

____

C 〈보기〉의 단어를 사용하여 요약된 글을 완성하시오.

보기	documentation	defeated	mystery	Mediterranean

The Sea People around 1200 BC attacked the major powers in the Eastern ____________ region. They destroyed the Hittite Empire but were ____________ by Egypt. There are few historical records so their exact identity remains a ____________.

02 Mass Culture

A 영어는 우리말로, 우리말은 영어로 쓰시오.

1 adopt ______________

2 stable ______________

3 outdated ______________

4 current ______________

5 constant ______________

6 appreciate ______________

7 태도, 자세 ______________

8 옷 ______________

9 반영하다 ______________

10 이용할 수 있는 ______________

11 공통의, 일반적인 ______________

12 다루다, 대처하다 ______________

B 우리말과 뜻이 같도록 주어진 단어를 사용하여 문장을 완성하시오.

1 올림픽 금메달리스트 마크 앤더슨은 다음 달에 은퇴할 예정이다.
(Mark Anderson, an Olympic gold medalist, be, retire)

____

2 새 모델은 사용하기 쉬운 반면, 구 모델은 그렇지 않다.
(new model, easy, use, whereas, old model, not)

____

3 그녀는 더 이상 예전의 그녀가 아니다. (no longer, what, used to, be)

____

C 〈보기〉의 단어를 사용하여 요약된 글을 완성하시오.

보기	training	mainstream	unchanging	earlier

Pop culture is the culture of ____________ society found in movies, songs, clothes and social media. High culture is not widely available like pop culture and requires lots of experience, ____________, and reflection. Folk culture doesn't change like pop culture and belongs to an ____________ age.

Unit 01 03 The Color Purple

A 영어는 우리말로, 우리말은 영어로 쓰시오.

1 purchase ________________
2 wounded ________________
3 flamboyantly ________________
4 show off ________________
5 decoration ________________
6 regal ________________
7 발표하다 ________________
8 중세의 ________________
9 드문, 희귀한 ________________
10 염료, 물감 ________________
11 (조개) 껍질 ________________
12 획득하다 ________________

B 우리말과 뜻이 같도록 주어진 단어를 사용하여 문장을 완성하시오.

1 오스틴의 발명품의 대부분은 많은 범죄를 저지르는 데 사용되었다.
(the majority, Austin, inventions, use, commit, crimes)

____

2 내 여동생은 자신의 완벽한 스케이트 기술을 과시하고 있다.
(show off, perfect, skating skills)

____

3 그 흥미 있는 게임은 1970년대에 인기 절정에 이르렀다.
(interesting, reach, peak, popularity, in the 1970s)

____

C 〈보기〉의 단어를 사용하여 요약된 글을 완성하시오.

보기	decoration	chemist	purple	popular

Rare shells of red and blue were mixed to create ____________ dye in medieval times. Only a queen or king could purchase it for their robes. Then a ____________ found a way to make the color purple in 1856 and it became ____________.

Unit 01 04 Off the Chart IQ

A 영어는 우리말로, 우리말은 영어로 쓰시오.

1 genius ____________
2 intelligence ____________
3 grade ____________
4 chemist ____________
5 gifted ____________
6 capital ____________
7 공룡 ____________
8 추정하다 ____________
9 신속히, 즉시 ____________
10 점수를 얻다 ____________
11 식별하다 ____________
12 개인 ____________

B 우리말과 뜻이 같도록 주어진 단어를 사용하여 문장을 완성하시오.

1 그 부부는 수리하는 데 한 달이 걸릴 거라고 추정한다.
(couple, estimate, the repair, take one month)

____

2 스텔라는 패션모델이 되기 위해 다이어트를 할 예정이다.
(Stella, go on a diet, become, a fashion model)

____

3 그녀의 부모님은 치료를 위해 그녀를 병원으로 데려갔다.
(parents, take, to the hospital, for treatment)

____

C 〈보기〉의 단어를 사용하여 요약된 글을 완성하시오.

보기	similar	individual	identify	count

Elise Tan Roberts had an IQ of 156 which was ____________ to Albert Einstein's. She became the youngest member of Mensa International at the age of two. She could ____________ numbers, name capitals, and ____________ triangles at a very young age.

Unit 02 05 Blanket of Pasta

A 영어는 우리말로, 우리말은 영어로 쓰시오.

1 layer ______________
2 bake ______________
3 boil ______________
4 flour ______________
5 avoid ______________
6 be associated with ______________
7 요리법 ______________
8 절약하다 ______________
9 ~에 달라붙다 ______________
10 바닥 ______________
11 추천하다 ______________
12 버섯 ______________

B 우리말과 뜻이 같도록 주어진 단어를 사용하여 문장을 완성하시오.

1 대중 앞에서 말하는 것에 긴장하는 것은 자연스러운 일이다.
(it, natural, feel, nervous about, speak in public)

____

2 나는 싸우기 위해서가 아니라, 몇 가지 질문을 하기 위해 왔다.
(not, here, fight, but, ask, questions)

____

3 뉴욕은 높은 빌딩과 바쁜 생활 방식이 연상된다.
(New York, associate, with, high skyscrapers, a busy life)

____

C 〈보기〉의 단어를 사용하여 요약된 글을 완성하시오.

보기	mozzarella	baked	alternating	ingredients

Lasagna has ____________ layers of pasta sheets with layers of sauce in a deep dish. The ____________ can vary by the region in Italy and the sauce can be Ragu or Béchamel. The pasta sheets can be boiled before the dish is ____________ or not.

Unit 02 06 Throwing Away

A 영어는 우리말로, 우리말은 영어로 쓰시오.

1 toxic ______________

2 destination ______________

3 strict ______________

4 ban ______________

5 landfill ______________

6 incinerator ______________

7 ~에 새어 들어가다 ______________

8 화학 물질 ______________

9 이상적인 ______________

10 방출하다 ______________

11 쓰레기, 폐기물 ______________

12 방출, 배출 ______________

B 우리말과 뜻이 같도록 주어진 단어를 사용하여 문장을 완성하시오.

1 저 농토는 15에이커, 즉 약 60,700제곱미터이다. (farm land, acres, or, square meters)

____

2 시험지의 각 문제는 3점짜리이다. (each question, on the test sheet, worth, points)

____

3 그 새 소프트웨어는 학생들이 자신들의 어휘를 증진하는 것을 돕도록 만들어졌다. (software, be designed to, help, improve, vocabulary)

____

C 〈보기〉의 단어를 사용하여 요약된 글을 완성하시오.

보기	recycled	prevented	burned	electronic

The world's ____________ goods eventually become electronic waste or e-waste. Most electronics is not easily ____________ and contain toxic heavy metals. E-waste in landfills can leak toxins and e-waste shipped to other countries can be ____________ in the open air.

Unit 02 07 Chinatown

A 영어는 우리말로, 우리말은 영어로 쓰시오.

1 remain ______________
2 ethnic ______________
3 wealthy ______________
4 immigrant ______________
5 merchant ______________
6 drug ______________
7 요구, 주장 ______________
8 장인 ______________
9 도시의 ______________
10 붐비는 ______________
11 죄, 범죄 ______________
12 지역, 지방 ______________

B 우리말과 뜻이 같도록 주어진 단어를 사용하여 문장을 완성하시오.

1 그는 중국 시장에 진입한 최초의 케이팝 남자 가수였다.
(the first, K-pop, male singer, enter, the Chinese market)

____

2 학생들 절반 이상이 그 컴퓨터 프로그램을 사용한다.
(more than half, the students, computer program)

____

3 학교는 우리가 많은 것을 배우고 친구를 사귀는 장소이다.
(the place, where, learn, make friends)

____

C 〈보기〉의 단어를 사용하여 요약된 글을 완성하시오.

보기	attraction	clustered	well-known	immigration

Chinese ____________ to the US began in the mid 1800s during the California Gold Rush. These Chinese immigrants ____________ in groups in neighborhoods called Chinatowns. The first and most ____________ Chinatown was in San Francisco.

Unit 02 08 Underwater Forests

A 영어는 우리말로, 우리말은 영어로 쓰시오.

1 expand ____________

2 decade ____________

3 establish ____________

4 pollution ____________

5 coral reef ____________

6 reproduce ____________

7 열대 우림 ____________

8 행성, 혹성 ____________

9 생물, 생명체 ____________

10 뼈대, 잔해 ____________

11 결과; 중요성 ____________

12 수생의 ____________

B 우리말과 뜻이 같도록 주어진 단어를 사용하여 문장을 완성하시오.

1 네 모자는 모양과 색상이 내 모자와 매우 비슷하다.
(hat, similar to, mine, in shape and color)

____

2 그 과학자들이 그것을 밝혀내는 데 3년이 걸렸다. (it take, scientists, figure out)

____

3 우리는 우리의 제품들을 홍보할 새로운 방법들을 연구해야 한다.
(have to, study, new ways, promote, product)

____

C 〈보기〉의 단어를 사용하여 요약된 글을 완성하시오.

보기	decades	inhabitants	home	rainforests

Coral reefs are the ____________ of the ocean. They are created by tiny sea creatures and take ____________ or centuries to form. These coral reefs provide a ____________ to countless species of fish, but are suffering from environmental pollution.

Unit 03 09 Great Apes

A 영어는 우리말로, 우리말은 영어로 쓰시오.

1 donate ______________
2 injured ______________
3 face ______________
4 threat ______________
5 primate ______________
6 huge ______________
7 기어오르다 ______________
8 관찰하다 ______________
9 그네를 타다 ______________
10 매달리다 ______________
11 먹이를 먹이다 ______________
12 무게가 나가다 ______________

B 우리말과 뜻이 같도록 주어진 단어를 사용하여 문장을 완성하시오.

1 이 동물들은 대부분의 시간을 강 근처에서 보내는 것을 좋아한다.
(these animals, spend, most of, near the river)

____

2 너의 토끼들을 돌봐 줄 누군가가 필요하니? (need, someone, look after, rabbits)

____

3 릴리는 공립 도서관에서 자원봉사자가 되고 싶어 한다.
(Lily, want, a volunteer, at the public library)

____

C 〈보기〉의 단어를 사용하여 요약된 글을 완성하시오.

보기	largest	endangered	primates	orphaned

The orangutan is the ____________ animal that lives in the trees. These red-haired ____________ live on Sumatra and Borneo in Indonesia but are ____________. The Sepilok Rehabilitation Center on Borneo helps orangutans who are sick or injured.

Unit 03 10 A Sip of Tea

A 영어는 우리말로, 우리말은 영어로 쓰시오.

1 evaluate ______________

2 upscale ______________

3 sip ______________

4 precise ______________

5 product ______________

6 tongue ______________

7 산소 ______________

8 뱉다 ______________

9 식별하다 ______________

10 예측할 수 없는 ______________

11 전문적인 ______________

12 다양하다 ______________

B 우리말과 뜻이 같도록 주어진 단어를 사용하여 문장을 완성하시오.

1 내가 그 공상 과학 소설을 다 읽는 데는 약 한 달이 걸렸다.
(it, take, about a month, finish, science fiction novel)

____

2 부모님이 찬성을 하든지 말든지 맥스는 음악 학교에 들어갈 것이다.
(Max, enter, the music school, whether or not, his parents, approve)

____

3 여러분은 그 기계 작동 방법을 익힐 필요가 있습니다.
(need, get familiar with, how, operate, machine)

____

C 〈보기〉의 단어를 사용하여 요약된 글을 완성하시오.

보기	communication	demand	mentor	taste

A professional tea taster judges the quality and ____________ of a tea sample. It takes more than five years to become one, at first under an experienced ____________. The job requires traveling to different countries, good ____________ skills, and a knowledge of the tea industry.

Unit 03 11 Geometric Clouds

A 영어는 우리말로, 우리말은 영어로 쓰시오.

1 circle	______________	7 소용돌이	______________
2 stable	______________	8 띠, 끈	______________
3 rocky	______________	9 행성	______________
4 landform	______________	10 육각형	______________
5 spacecraft	______________	11 지속하다	______________
6 puzzle	______________	12 대륙	______________

B 우리말과 뜻이 같도록 주어진 단어를 사용하여 문장을 완성하시오.

1 우리는 식사 준비를 마쳤지만, 손님은 한 명도 도착하지 않았다.
(have, prepare, meals, but, no guests, have, arrive, yet)

____

2 라이언은 친구나 가족이 한 명도 없이 혼자서 여행하고 싶어 한다.
(Ryan, want, travel alone, without, any)

____

3 그레이스가 약속을 지킬지는 두고 볼 일이다.
(it, remain, to be seen, whether or not, Grace, keep one's promise)

____

C 〈보기〉의 단어를 사용하여 요약된 글을 완성하시오.

보기	simulations	south	geometric	shape

The Saturn Hexagon is a hexagon ____________ of clouds at Saturn's north pole. The ____________ pole does not have it and it is not found on any other planet. Scientists have created it on computer ____________ but it remains to be seen if it really explains it.

12 The Youngest Ever

A 영어는 우리말로, 우리말은 영어로 쓰시오.

1 hidden ________________
2 potential ________________
3 pursue ________________
4 youth ________________
5 tremendous ________________
6 appearance ________________
7 경력, 직업 ________________
8 열광 ________________
9 상, 상품 ________________
10 선거 ________________
11 나타내다 ________________
12 예외적인 ________________

B 우리말과 뜻이 같도록 주어진 단어를 사용하여 문장을 완성하시오.

1 소피가 이 일을 제의받았을 때 그녀의 친구들이 축하해 주었다.
(Sophie, be offered, job, congratulate)

____

2 대부분의 젊은이들은 블로그와 같은 소셜 미디어 이용을 즐긴다.
(young, enjoy, use, social media, such as, blogs)

____

3 파리에는 그들이 방문하고 싶은 독특한 상점들이 너무나 많다.
(there, so many, unique shops, visit, Paris)

____

C 〈보기〉의 단어를 사용하여 요약된 글을 완성하시오.

보기	youngest	potential	direct	famous

Chaille Stovall is Hollywood's ____________ film director. He became ____________ for filming documentaries. He demonstrates the tremendous artistic ____________ of children.

Unit 04 13 National Fruit

A 영어는 우리말로, 우리말은 영어로 쓰시오.

1 range ____________
2 contain ____________
3 central ____________
4 firm ____________
5 stone ____________
6 peel ____________
7 끝, 가장자리 ____________
8 질감 ____________
9 열대의 ____________
10 과육; 살 ____________
11 다양하다 ____________
12 피하다 ____________

B 우리말과 뜻이 같도록 주어진 단어를 사용하여 문장을 완성하시오.

1 시에서 제일 큰 그 경기장은 10만 명까지 수용할 수 있다.
(stadium, which, large, city, can, seat, up to)

____

2 먼저 숙제를 해라, 그렇지 않으면 내가 TV 시청을 허락하지 않을 것이다.
(finish, homework, first, or, will, let, watch TV)

____

3 원시인들은 동물의 가죽과 뼈바늘을 이용해서 옷을 만들었다.
(primitive people, make, clothes, use, animals' fur, bone needles)

____

C 〈보기〉의 단어를 사용하여 요약된 글을 완성하시오.

보기	unhealthy	native	slicing	allergic

Mangoes are a popular tropical fruit ____________ to South Asia but grown in East Asia and East Africa for thousands of years. You can eat a mango by ____________ it in half or placing cubes of it in a fruit salad. Some people have an ____________ reaction to mangoes and you should always wash them before eating.

Unit 04 14 Leaving Cuba

A 영어는 우리말로, 우리말은 영어로 쓰시오.

1 departure ______________

2 barely ______________

3 attempt ______________

4 permanent ______________

5 economic ______________

6 political ______________

7 해안선 ______________

8 포식자 ______________

9 전체의 ______________

10 군대 ______________

11 의심하다 ______________

12 기진맥진한 ______________

B 우리말과 뜻이 같도록 주어진 단어를 사용하여 문장을 완성하시오.

1 그의 어머니는 저녁 식사로 무엇을 준비할지 결정하지 않았다.
(decide, what to prepare, for dinner)

____

2 나의 할머니는 그 남자가 자격을 갖춘 치과 의사가 아니라고 의심했다.
(suspect, man, a qualified dentist)

____

3 타일러는 비록 나이가 매우 많았지만 경주에서 우승했다.
(even though, Tyler, old, win the race)

____

C 〈보기〉의 단어를 사용하여 요약된 글을 완성하시오.

보기	failed	succeeded	leave	suspected

Jose wanted to ____________ his country of Cuba and swim to the US. His first attempt ____________ when he was caught by the Cuban police. After five years of hard training, he finally ____________.

Unit 04 15 Staying Young

A 영어는 우리말로, 우리말은 영어로 쓰시오.

1 depression ________________
2 artery ________________
3 decrease ________________
4 tend ________________
5 normal ________________
6 routine ________________
7 외로움 ________________
8 예리한 ________________
9 주름 ________________
10 뻣뻣한 ________________
11 과도한 ________________
12 활동적인 ________________

B 우리말과 뜻이 같도록 주어진 단어를 사용하여 문장을 완성하시오.

1 폭설로 인해서 많은 학교들이 수업을 취소했다.
(many schools, cancel, due to, the heavy snowfall)

____

2 사람들은 빅풋이라고 불리는 생물이 미국에 있다고 믿고 있다.
(it, believe, that, there, a creature, called Bigfoot, America)

____

3 수리 작업은 최소 2주가 걸릴 것으로 예상된다. (the repair job, be expected to, take, at least)

____

C 〈보기〉의 단어를 사용하여 요약된 글을 완성하시오.

보기	decline	physical	mentally	sleep

When we got older, we face physical and mental ____________. We might also get high blood pressure, but exercise, a healthy diet, and enough ____________ can help. Doing these things along with staying socially active also help us stay ____________ sharp.

Unit 04 16 Submarine Volcano

A 영어는 우리말로, 우리말은 영어로 쓰시오.

1 eruption ______________
2 freeze ______________
3 analyze ______________
4 hover ______________
5 spectacular ______________
6 geologist ______________
7 지각 ______________
8 해저 ______________
9 몹시 추운 ______________
10 용암 ______________
11 수중에서 가동하는 ______________
12 화산 ______________

B 우리말과 뜻이 같도록 주어진 단어를 사용하여 문장을 완성하시오.

1 나는 스페인어를 잘 이해 못하는데, 더구나 그것을 말할 리가 없다.
(understand, Spanish, well, much less, speak)

____

2 우리는 그가 우리의 새 제품을 좋아할 거라고 확신한다. (be confident that, like, product)

____

3 그 사고를 목격한 많은 사람들이 있었다. (there, people, who, witness, accident)

____

C 〈보기〉의 단어를 사용하여 요약된 글을 완성하시오.

보기	underwater	hover	froze	robot

Scientists in 2009 filmed for the first time the world's deepest ____________ volcano. It is 1,200 meters below sea level near Samoa in the Pacific Ocean. The lava ____________ as soon as it hit the frigid seawater and the submersible ____________ collected lava samples.

Unit 05 17 Safety on the Ice

A 영어는 우리말로, 우리말은 영어로 쓰시오.

1 equipment ____________
2 defend ____________
3 extra ____________
4 bump into ____________
5 list ____________
6 elbow ____________
7 가슴 ____________
8 우려, 걱정 ____________
9 날, 칼날 ____________
10 보호하다 ____________
11 정강이 ____________
12 포함하다 ____________

B 우리말과 뜻이 같도록 주어진 단어를 사용하여 문장을 완성하시오.

1 관광객들은 하늘의 오로라를 보았을 때 깊은 감동을 받았다. (주절이 도치 구문)
(deeply impressed, the tourists, when, the northern lights, in the sky)

____

2 팀은 물론 감독 역시 경기에 만족했다. (the couch, as well as, the team, be satisfied with)

____

3 이러닝 덕에 우리는 언제 어디서든 배울 수 있다.
(e-learning, enable, learn, anytime, anywhere)

____

C 〈보기〉의 단어를 사용하여 요약된 글을 완성하시오.

보기	spectators	shielding	safety	helmets

Ice hockey more than most sports has a lot of ____________ equipment. The ice rink has ____________ to stop the puck and to stop players from falling on top of spectators. Players wear protective equipment such as ____________, mouth guards and pads.

Unit 05 18 Suing Animals

A 영어는 우리말로, 우리말은 영어로 쓰시오.

1 declare ______________
2 court ______________
3 furious ______________
4 resident ______________
5 lawsuit ______________
6 award ______________
7 체포하다 ______________
8 법적인 ______________
9 고소하다 ______________
10 처형하다 ______________
11 대변하다 ______________
12 모기 ______________

B 우리말과 뜻이 같도록 주어진 단어를 사용하여 문장을 완성하시오.

1 그 대학교 운동선수들은 자신들이 화가 난 것을 분명히 보여 주었다.
(university athletes, clearly, show, furious)

____

2 그녀가 사용하고 있는 컴퓨터는 도서관 것이다. (the computer, use, belong to, the library)

____

3 그것들 모두 갈색인 것처럼 보일지 모르지만, 그렇지 않다.
(all of them, seem to, brown, but)

____

C 〈보기〉의 단어를 사용하여 요약된 글을 완성하시오.

보기	mosquitoes	laid	sued	crops

People in medieval France ____________ animals for destroying crops or biting them. French families in 1545 sued weevils for eating their ____________ and won the case. A small town in southern France sued mosquitoes and the judge ordered the ____________ out of town.

Unit 05 19 Pyramid Temples

A 영어는 우리말로, 우리말은 영어로 쓰시오.

1 ancient ____________

2 astronomy ____________

3 spectacular ____________

4 sophisticated ____________

5 masterpiece ____________

6 defensive ____________

7 반짝이다, 빛나다 ____________

8 관측소, 기상대 ____________

9 정점, 절정; 높이 ____________

10 빛나는, 번쩍이는 ____________

11 붕괴하다, 무너지다 ____________

12 도자기, 도기 ____________

B 우리말과 뜻이 같도록 주어진 단어를 사용하여 문장을 완성하시오.

1 그들은 튼튼한 신발을 만들기 위해 특별한 방법을 사용한다. (a special way, make, strong)

____

2 루카스는 피파에서 세계 최고의 선수로 인정받아 왔다.
(Lucas, recognize, as, best player, by FIFA)

____

3 어떻게 해서 그녀가 배우가 되었는지 어느 누구도 확실히 모른다.
(no one, certain, what, lead, become an actress)

____

C 〈보기〉의 단어를 사용하여 요약된 글을 완성하시오.

보기	temples	architecture	language	civilization

The ancient Mayans of Central America had a great ____________. Their advanced cities were designed around pyramid-shaped ____________. Mayan civilization is studied today and their ____________ is still spoken.

Unit 05 20 Private Eye

A 영어는 우리말로, 우리말은 영어로 쓰시오.

1 escape ______________
2 behavior ______________
3 talent ______________
4 combine ______________
5 enforcement ______________
6 jail ______________
7 범죄자 ______________
8 변장, 위장 ______________
9 소유, 소유물 ______________
10 절대적인 ______________
11 개념 ______________
12 탐정 ______________

B 우리말과 뜻이 같도록 주어진 단어를 사용하여 문장을 완성하시오.

1 빨간 머리 남자가 그 여행객의 차 열쇠와 돈을 빼앗았다.
(a red-haired man, rob, traveler, of, car key)

____

2 어제 내 남동생은 내 일기를 몰래 읽다가 들켰다. (get caught, reading, diary, secretly)

____

3 그 마을의 젊은 사람들은 직업을 찾는 데 어려움이 없었다.
(the town, have no trouble, find jobs)

____

C 〈보기〉의 단어를 사용하여 요약된 글을 완성하시오.

보기	concept	criminal	behavior	detective

The first modern private ____________ was Eugene Francois and not Sherlock Holmes. He was a master ____________ but later helped catch over 800 thieves. He lived among criminals and understood their ____________.

Unit 06 21 Mammalian Milk

A 영어는 우리말로, 우리말은 영어로 쓰시오.

1 commerce ________
2 moderation ________
3 myriad ________
4 extend ________
5 microorganism ________
6 unsaturated ________
7 생육 가능한 ________
8 근원, 원천 ________
9 불투명한 ________
10 음식[먹이]을 주다 ________
11 영양소 ________
12 항체 ________

B 우리말과 뜻이 같도록 주어진 단어를 사용하여 문장을 완성하시오.

1 이 기부금은 의학적 목적으로 이용될 것이다. (donation, use, for medical purposes)

____

2 사장은 비용에 상관없이 최상의 결과를 원했다.
(boss, the best result, regardless of, the cost)

____

3 우리는 마감을 한 주 더 연장할 필요가 있다. (extend, the deadline, for another week)

____

C 〈보기〉의 단어를 사용하여 요약된 글을 완성하시오.

보기	pasteurization	shelf life	consumer	camels

Milk can feed a baby but also be made into ice cream, yogurt, cheese, butter and whipping cream. Not only cattle and buffalo but horses, sheep, goats yaks, and ________ provide milk for the milk industry. ________ and homogenization allows milk and milk products to have a longer ________.

Unit 06 22 Being a Reporter

A 영어는 우리말로, 우리말은 영어로 쓰시오.

1 neglect ____________
2 craft ____________
3 quality ____________
4 insatiable ____________
5 benefit ____________
6 expand ____________
7 실행 가능한 ____________
8 배출구 ____________
9 경쟁 ____________
10 지성; 지능 ____________
11 수집 ____________
12 재미있게 꾸미다 ____________

B 우리말과 뜻이 같도록 주어진 단어를 사용하여 문장을 완성하시오.

1 그 강연자가 말하는 모든 것을 기록할 필요는 없다. (it, necessary, take down, lecturer, say)

____

2 표현의 자유는 현대 사회의 본질적인 부분이다.
(freedom, expression, part and parcel, modern society)

____

3 고난과 역경이 그들의 상상력을 뛰어넘었다.
(the hardships, sufferings, beyond, imagination)

____

C 〈보기〉의 단어를 사용하여 요약된 글을 완성하시오.

보기	objectivity	intelligence	competition	reporting

____________ the news requires several qualities in a reporter. One is general ____________ and another is curiosity about the world. Others are ____________ in reporting and a general understanding of the subject being reported.

Unit 06 23 The Instructions to Life

A 영어는 우리말로, 우리말은 영어로 쓰시오.

1 entire ________________
2 map ________________
3 currently ________________
4 distinguishing ________________
5 share ________________
6 crucial ________________
7 동일한 ________________
8 진화, 변화 ________________
9 특징 ________________
10 유전자 ________________
11 유기체, 생물 ________________
12 분자 ________________

B 우리말과 뜻이 같도록 주어진 단어를 사용하여 문장을 완성하시오.

1 나는 〈스타워즈〉 영화를 전부 보았고, 그것들은 모두 재미있었다.
(watch, all of, the *Star Wars* movies, all, exciting)

____

2 그의 새 앨범의 노래들은 예상보다 훨씬 더 슬펐다.
(song, on his new album, a lot, sadder than, expected)

____

3 5천만 명의 목숨을 앗아 갔던 흑사병은 유럽 사회를 바꾸어 놓았다.
(the Black Death, which, kill, 50 million, change, European society)

____

C 〈보기〉의 단어를 사용하여 요약된 글을 완성하시오.

보기	unique	proteins	same	dormant

Human DNA is 99.9% the ____________ in everyone but the few differences make us all ____________. Every organism has many similar genes because the ____________ made from DNA are used by all living things. Scientists are mapping the DNA of many organisms these days.

Unit 06 24 Conifer Cones

A 영어는 우리말로, 우리말은 영어로 쓰시오.

1 fertilize ____________

2 pollination ____________

3 coarse ____________

4 durable ____________

5 proliferation ____________

6 seed ____________

7 생식[번식]의 ____________

8 약한; 깨지기 쉬운 ____________

9 꽃가루 ____________

10 기관 ____________

11 뒤이은 ____________

12 잠재력 ____________

B 우리말과 뜻이 같도록 주어진 단어를 사용하여 문장을 완성하시오.

1 어떤 사람들은 검은색 눈을 가진 반면, 다른 사람들은 갈색 눈을 가졌다.
(while, some, black, others, brown)

____

2 그 집의 벽들은 정교한 조각들로 덮여 있다. (the walls, be covered with, elaborate carvings)

____

3 선과 악을 구별하는 것은 매우 중요하다. (it, important, distinguish, good from evil)

____

C 〈보기〉의 단어를 사용하여 요약된 글을 완성하시오.

보기	appearance	fertilizes	reproductive	pollen grains

The ____________ structure of a conifer is called a cone. The male cone produces ____________ carried by wind, insects or birds to the female cone. Once the pollen ____________ an ovule, it develops inside the female cone until it is mature.

Unit 07 25 Overseeing a Match

A 영어는 우리말로, 우리말은 영어로 쓰시오.

1 penalty ______________
2 behave ______________
3 proper ______________
4 determine ______________
5 call off ______________
6 notify ______________
7 불다, 내뿜다 ______________
8 다친, 부상한 ______________
9 반칙 ______________
10 순조롭게 ______________
11 저지르다, 범하다 ______________
12 공격적인 ______________

B 우리말과 뜻이 같도록 주어진 단어를 사용하여 문장을 완성하시오.

1 그들은 그 행사를 어떻게 구성할 것인지 의논하는 중이다. (discuss, how to organize, event)

____

2 나는 어린이들의 빠른 언어 습득 능력이 언제나 놀랍다.
(be amazed, by children, be able to, acquire, language, quickly)

____

3 고기압일 때 하늘은 보통 햇빛이 비치고 맑다. (if, air pressure, high, the sky, sunny, clear)

____

C 〈보기〉의 단어를 사용하여 요약된 글을 완성하시오.

보기	substitutions	referees	three	account

Soccer ____________ are responsible for the game running smoothly and safely. Important soccer games can have up to ____________ assistant referees. They assist the head referee in watching for fouls such as offside and notifying of ____________.

Unit 07 26 Cradle of Civilization

A 영어는 우리말로, 우리말은 영어로 쓰시오.

1 visible ____________
2 aspect ____________
3 erect ____________
4 adopt ____________
5 wisdom ____________
6 ornate ____________
7 아치형 구조물 ____________
8 장식하다 ____________
9 영향, 작용 ____________
10 민주주의 ____________
11 문명 ____________
12 정복하다 ____________

B 우리말과 뜻이 같도록 주어진 단어를 사용하여 문장을 완성하시오.

1 그것이 빅토리아가 자신의 친구들을 돕기로 결심했던 이유이다. (why, Victoria, decide, help)

____

2 이 새 만화책 시리즈는 여섯 권으로 구성될 것이다. (comic book series, be composed of)

____

3 그 스캔들은 사람에서 사람으로 널리 퍼져 나갔다.
(scandal, widely, spread, from person to person)

____

C 〈보기〉의 단어를 사용하여 요약된 글을 완성하시오.

보기	spread	technology	thinkers	influence

We can see the ____________ of ancient Greek civilization in modern democracy, in modern buildings, and in the Olympics. Greece had great ____________ such as Aristotle and Homer and elaborate buildings. Greek culture continued to ____________ even after the Romans conquered them in 150 BC.

Unit 07 27 A Good Night's Rest

A 영어는 우리말로, 우리말은 영어로 쓰시오.

1 extreme ______________
2 repair ______________
3 joint ______________
4 lung ______________
5 rest ______________
6 illustrate ______________
7 근육 ______________
8 유동체 ______________
9 척추, 등뼈 ______________
10 당뇨병 ______________
11 상태 ______________
12 비만 ______________

B 우리말과 뜻이 같도록 주어진 단어를 사용하여 문장을 완성하시오.

1 고기를 먹지 않는 것은 몇 가지 긍정적인 효과가 있을지 모르나 뼈에는 좋지 않다.
(eat meat, may, good effects, but, bad, for your bones)

____

2 달은 자체적인 중력이 있는데, 이것이 바닷물을 달 쪽으로 잡아당긴다.
(the moon, have, own gravity, pull, the ocean, towards)

____

3 겨울이 오면 곰과 뱀과 같은 동물들은 겨울잠을 자기 시작한다.
(when, winter, come, like, bears, start to hibernate)

____

C 〈보기〉의 단어를 사용하여 요약된 글을 완성하시오.

보기	distance	growth	healthy	alert

Sleep does a lot to keep us ____________ and safe. It cleans our brains, rests our hearts and lungs, and releases ____________ hormones to rebuild our bodies. Adequate sleep also helps us stay ____________ and have faster reaction times.

28 Nikpai's Dream

A 영어는 우리말로, 우리말은 영어로 쓰시오.

1 swift ______________

2 ecstatic ______________

3 defeat ______________

4 harsh ______________

5 advance ______________

6 podium ______________

7 피난민 ______________

8 운동선수 ______________

9 찬사 ______________

10 자부심 ______________

11 명백한 ______________

12 모여들다 ______________

B 우리말과 뜻이 같도록 주어진 단어를 사용하여 문장을 완성하시오.

1 카밀라는 아주 열심히 공부해서 마침내 작년에 교수가 되었다.
(Camilla, work so hard, that, finally, become a professor)

____

2 그의 후임자는 무거운 부담을 느낄 것이 분명하다.
(it, obvious, successor, feel, a heavy burden)

____

3 그들은 또 다른 강력한 적을 물리칠 기회를 가졌다.
(have the opportunity, defeat, another, enemy)

____

C 〈보기〉의 단어를 사용하여 요약된 글을 완성하시오.

보기	bronze	championship	first	trained

Rohullah Nikpai was Afghanistan's __________ Olympic medal ever. He won __________ in taekwondo at the 2008 Beijing Olympics. His family lived in a refugee camp and he __________ with other refugees.

Unit 08 29 The Human Diet

A 영어는 우리말로, 우리말은 영어로 쓰시오.

1 complexity ______________
2 evidence ______________
3 remains ______________
4 inclusion ______________
5 archeologist ______________
6 rice ______________
7 호밀 ______________
8 곡물 ______________
9 선사시대의 ______________
10 밀, 소맥 ______________
11 과감히 해보다 ______________
12 소비 ______________

B 우리말과 뜻이 같도록 주어진 단어를 사용하여 문장을 완성하시오.

1 당신은 얼마나 오래 그 호텔에 머물 계획입니까? (how long, planning to, stay, at the hotel)

____

2 그것은 그의 잘못된 결정의 결과인 것처럼 보인다. (appear to, the result, wrong decision)

____

3 세계의 여러 지역에서 그 동물은 행운이 있는 것으로 여겨진다.
(in many places, animal, be considered, lucky)

____

C 〈보기〉의 단어를 사용하여 요약된 글을 완성하시오.

보기	grains	diet	evidence	technical

Research says humans have been eating ____________ for more than 100,000 years. This is based on ____________ found in a limestone cave in Mozambique. It means that early humans had the ____________ complexity to turn grain into staples.

Unit 08 30 Far from the Big City

A 영어는 우리말로, 우리말은 영어로 쓰시오.

1 sip ______________
2 performance ______________
3 feature ______________
4 wander ______________
5 ancient ______________
6 crowded ______________
7 건축(술) ______________
8 모이다 ______________
9 실망한 ______________
10 불법으로 ______________
11 수많은 ______________
12 경이, 기적 ______________

B 우리말과 뜻이 같도록 주어진 단어를 사용하여 문장을 완성하시오.

1 그의 어떤 영화들은 훌륭한 반면, 다른 영화들은 줄거리가 빈약하다.
(while, some of, excellent, others, have, weak plots)

____

2 그 정치인은 연설 도중 분명 실수를 할 것이다.
(politician, be sure to, make mistakes, during, speech)

____

3 대표 이사는 그의 형편없는 경영 방식 때문에 비난받아 왔다.
(the CEO, criticize, for, poor management style)

____

C 〈보기〉의 단어를 사용하여 요약된 글을 완성하시오.

보기	waterfalls	attraction	tourism	festival

Croatia sits directly across from Italy and has a long history of ____________. Dubrovnik is one ____________ in the country and is described as the "pearl of the Adriatic." Another attraction is the Plitvice Lakes which has ____________, caves, forests, trails, and paths.

Unit 08 31 Culture of Bravery

A 영어는 우리말로, 우리말은 영어로 쓰시오.

1 adulthood ____________
2 vine ____________
3 ceremony ____________
4 trait ____________
5 barrier ____________
6 extraordinary ____________
7 자신 있는 ____________
8 능력 ____________
9 돌파하다, 뚫다 ____________
10 치료, 요법 ____________
11 감싸다 ____________
12 위업, 공적 ____________

B 우리말과 뜻이 같도록 주어진 단어를 사용하여 문장을 완성하시오.

1 그 작은 곤충은 놀라운 위장술로 잘 알려져 있다.
(small insect, be well-known for, amazing, camouflage)

____

2 그 연구는 한국과 일본에 살고 있는 노인들을 포함했다.
(study, include, elderly men, Korea and Japan)

____

3 이 소설의 가치에 대해 강조할 필요가 없다. (there, need, emphasize, the value, novel)

____

C 〈보기〉의 단어를 사용하여 요약된 글을 완성하시오.

보기	bungee jump	adulthood	confident	limitation

The Maori of New Zealand have rites of passage into ____________ that prove courage. Maori teenage boys ____________ off a mountain or take a death-defying boat ride. We can all learn from this Maori practice to become more ____________ and stronger.

Unit 08 32 Snow at the Equator

A 영어는 우리말로, 우리말은 영어로 쓰시오.

1 volcanic ______________

2 summit ______________

3 cattle ______________

4 glacier ______________

5 free-standing ______________

6 the tropics ______________

7 해수면 ______________

8 경사 ______________

9 멸종한, 사라진 ______________

10 토양 ______________

11 영구적인 ______________

12 1년 내내 ______________

B 우리말과 뜻이 같도록 주어진 단어를 사용하여 문장을 완성하시오.

1 이 대학에 다니는 학생 수는 천만 명에 가깝다.
(the number, attend, college, be close to, million)

____

2 거품기는 달걀이나 크림을 공기와 섞는 데 쓰이는 도구이다.
(a whisk, a tool, used for, mix A into B)

____

3 호수가 녹기 시작했고, 지금 얼음은 걸어가기엔 너무 얇을지도 모른다.
(the lake, melting, the ice, may, too thin, walk on)

____

C 〈보기〉의 단어를 사용하여 요약된 글을 완성하시오.

보기	volcanic	glaciers	tallest	equator

Mount Kilimanjaro in Tanzania is the ______________ mountain in Africa at 6,000 meters. It is almost exactly on the ______________ but has snow and ice at the top all year round. The slopes have ______________ soil to grow crops and rain to form small rivers.

Unit 09 33 Temples in the Forest

A 영어는 우리말로, 우리말은 영어로 쓰시오.

1 monk ______________
2 abandoned ______________
3 be regarded as ______________
4 strictly ______________
5 merit ______________
6 location ______________
7 비교할 만한 ______________
8 주목할 만한 ______________
9 수도 ______________
10 연례의 ______________
11 왕국 ______________
12 옷, 예복 ______________

B 우리말과 뜻이 같도록 주어진 단어를 사용하여 문장을 완성하시오.

1 좋은 날씨에도 불구하고 바깥에 나온 사람들은 얼마 되지 않았다.
(despite, the fine weather, not many, people, out)

____

2 라디오에서 부드러운 음악이 흘러나오고 있었고, 그는 팔걸이의자에서 쉬고 있었다.
(with soft music, play on the radio, relax, in the armchair)

____

3 기자의 대 피라미드는 세계에서 가장 오래된 건축물 중 하나이다.
(the Great Pyramid of Giza, one, old, constructions, world)

____

C 〈보기〉의 단어를 사용하여 요약된 글을 완성하시오.

보기	invasions	attraction	Buddhist	famous

Bagan in Myanmar has the world's greatest collection of ____________ temples. Marco Polo once wrote about it but the Mongol ____________ let the city abandoned. The Ananda Temple is one of the most ____________ of the approximately 2,000 structures still remaining.

Unit 09 34 All Aboard

A 영어는 우리말로, 우리말은 영어로 쓰시오.

1 meal ________________
2 deliver ________________
3 intimately ________________
4 scenery ________________
5 be bound for ________________
6 sublime ________________
7 요리, 요리법 ________________
8 환경 ________________
9 칸, 격실 ________________
10 호화로운 ________________
11 길, 노선 ________________
12 식사 ________________

B 우리말과 뜻이 같도록 주어진 단어를 사용하여 문장을 완성하시오.

1 그 단어의 기원은 고대로 거슬러 올라간다. (the origin, word, date back, to ancient times)

____

2 우리는 그것을 더 맛있게 하기 위해 몇 가지 재료를 첨가했다.
(add, ingredients, in it, make, delicious)

____

3 이 기술은 아시아 대륙에서 70년 동안 사용되어 왔다.
(technology, use, on the Asian continent)

____

C 〈보기〉의 단어를 사용하여 요약된 글을 완성하시오.

보기	outdo	luxurious	passenger	novels

The Orient Express a long distance passenger train known for ____________ travel. It started in 1883 when it left Paris bound for Romania via Munich and Vienna. The service and surroundings ____________ the finest hotels and it's been used as background in ____________ and movies.

Unit 09 35 Theories about Dreams

A 영어는 우리말로, 우리말은 영어로 쓰시오.

1 guise ______________

2 unravel ______________

3 measure ______________

4 secondhand ______________

5 intervention ______________

6 impact ______________

7 신의, 신성한 ______________

8 무작위의 ______________

9 관련, 연루 ______________

10 초자연의 ______________

11 영향; 충돌 ______________

12 특성, 속성 ______________

B 우리말과 뜻이 같도록 주어진 단어를 사용하여 문장을 완성하시오.

1 오토바이는 베트남에서 주요한 교통수단이다.
(the motorcycle, the major means, transportation, Vietnam)

____

2 그 동물 뼈들은 대략 2백만 년 된 것으로 여겨진다.
(animal bones, be thought to, 2 million years old)

____

3 이 최신 영화는 인기 있는 인터넷 소설에 기반을 두고 있다.
(new movie, be based on, Internet novel)

____

C 〈보기〉의 단어를 사용하여 요약된 글을 완성하시오.

보기	traumatic	psychology	communication	experiences

Many ancient societies considered dreams a supernatural ____________ whose message could be unraveled. Various schools of ____________ have offered theories about the meaning of dreams. Some believe dreams are meaningless or a way for us to revisit ____________ or emotions.

Unit 09 36 Dream Came True

A 영어는 우리말로, 우리말은 영어로 쓰시오.

1 avalanche ____________
2 benefit ____________
3 conquer ____________
4 zenith ____________
5 endurance ____________
6 overcome ____________
7 위업, 공적 ____________
8 묻다, 묻히다 ____________
9 대륙 ____________
10 분투하다 ____________
11 살아 있는 ____________
12 멍, 상처 ____________

B 우리말과 뜻이 같도록 주어진 단어를 사용하여 문장을 완성하시오.

1 오케스트라를 지휘하는 것은 보이는 것만큼 쉽지 않다.
(conduct an orchestra, as easy as, look)

____

2 올해 시드니는 세계에서 가장 살기 좋은 도시로 선정되었다. (Sydney, be chosen as, livable)

____

3 나의 선생님은 요가와 명상을 통해 많은 장애를 극복해 왔다.
(overcome, handicaps, through, yoga and meditation)

____

C 〈보기〉의 단어를 사용하여 요약된 글을 완성하시오.

보기	weakness	summit	top	avalanche

Junko Tabei was the first female to climb the ____________ of Mt. Everest. She had the dream to do so since she was 10 years old and succeeded in 1975. She was buried alive by an ____________ along the way but she made it to the ____________.

Unit 10 37 Quick and Easy

A 영어는 우리말로, 우리말은 영어로 쓰시오.

1 disease ____________

2 ban ____________

3 appear ____________

4 bean ____________

5 comfort ____________

6 pedestrian ____________

7 혼합, 혼합물 ____________

8 ~로 구성되다 ____________

9 일, 과제 ____________

10 국수, 면 ____________

11 소비자 ____________

12 양념, 향신료 ____________

B 우리말과 뜻이 같도록 주어진 단어를 사용하여 문장을 완성하시오.

1 나는 그 남자를 놀라움과 분노를 섞어서 바라보았다.
(look at, with a mixture, surprise and anger)

____

2 그 마을의 역사는 그 대학교의 발전과 직접 연관되어 있다.
(history, directly, be linked to, the development)

____

3 정부는 금과 은의 수출을 수년 동안 금지해 왔다.
(the government, ban, the export, gold and silver)

____

C 〈보기〉의 단어를 사용하여 요약된 글을 완성하시오.

보기	healthy	ancient	unhealthy	processed

____________ fast food stands were formed in Rome, Asia, the Middle East, and India. They generally offered comfort food in a ____________ manner. But today's fast food is ____________ and some countries are fighting them.

Unit 10 38 Directing a Film

A 영어는 우리말로, 우리말은 영어로 쓰시오.

1 adjust ________________
2 edit ________________
3 budget ________________
4 overall ________________
5 hire ________________
6 production ________________
7 단계 ________________
8 포함하다 ________________
9 흐르다 ________________
10 순조롭게 ________________
11 추진하다 ________________
12 선택하다 ________________

B 우리말과 뜻이 같도록 주어진 단어를 사용하여 문장을 완성하시오.

1 책을 쓸 때에는 누구를 대상으로 할지 결정해야 한다.
(you, have to, whom to target, when, write a book)

____

2 이 가구들을 재배열하는 데에는 네 사람이 필요했다.
(it, take, four people, rearrange, these pieces of furniture)

____

3 폐차장에서 어떤 자동차 부품들은 재활용되기 위해 팔려 나간다.
(in junkyards, auto parts, sell, reuse)

____

C 〈보기〉의 단어를 사용하여 요약된 글을 완성하시오.

보기	shoot	supervise	script	involve

A film director drives the process of creating a film from ____________ to screen. In pre-production, they hire the actors, plan how and where to ____________, and choose the staff. During production they actually make the film and during post-production they ____________ polishing up the film.

Unit 10 39 Dying to Be Thin

A 영어는 우리말로, 우리말은 영어로 쓰시오.

1 inferiority ______________
2 excessively ______________
3 vomit ______________
4 intense ______________
5 disorder ______________
6 permanent ______________
7 탈수증 ______________
8 위 ______________
9 움푹 들어간 ______________
10 신장 ______________
11 정상적인 ______________
12 광택 있는 ______________

B 우리말과 뜻이 같도록 주어진 단어를 사용하여 문장을 완성하시오.

1 신뢰는 우리의 삶에서 가장 중요한 부분 중 하나이다. (trust, one, important parts, lives)

____

2 개에게 있어 또 다른 흔한 일은 맹인들을 돕는 것이다. (common job, for dogs, blind people)

____

3 조기 발견은 더 효과적인 치료로 이어질 것이다.
(early detection, lead to, effective treatment)

____

C 〈보기〉의 단어를 사용하여 요약된 글을 완성하시오.

보기	psychological	anorexia	inferiority	strange

TV, movies, and magazines can foster a sense of ____________ in the average person. They may develop eating disorders such as ____________ or bulimia. Both are serious physical and ____________ problems which can be life-threatening.

Unit 10 40 Disaster from Below

A 영어는 우리말로, 우리말은 영어로 쓰시오.

1 plate ______________

2 rupture ______________

3 surface ______________

4 destruction ______________

5 process ______________

6 evacuation ______________

7 위협, 우려 ______________

8 적절한 ______________

9 재난, 재해 ______________

10 대책, 조치 ______________

11 해안의 ______________

12 거대한, 막대한 ______________

B 우리말과 뜻이 같도록 주어진 단어를 사용하여 문장을 완성하시오.

1 그 작가는 제인이 우주의 기원에 대한 이야기들을 쓴다는 것을 알았다.
(learn that, Jane, make stories, the origin, the universe)

____

2 범인 중 3명은 살해되었고 나머지는 체포되었다. (the criminals, kill, the rest, capture)

____

3 그 축구 경기의 결과는 상당히 만족스러웠다. (the result, soccer match, highly satisfactory)

____

C 〈보기〉의 단어를 사용하여 요약된 글을 완성하시오.

보기	aftershock	deadliest	evacuation	tsunami

The 2004 Indian Ocean earthquake was one of the ____________ natural disasters in history. It produced a ____________ which killed 230,000 people in 14 countries. One positive result is that coastal cities now have ____________ plans.

THIS IS READING

전면 개정판

중등부터 고등까지 **모든 독해의 확실한 해결책 !**

★ 실생활부터 전문적인 학술 분야까지 **다양한 소재의 지문 수록**

★ 서술형 내신 대비까지 제대로 준비하는 **문법 포인트 정리**

★ 지문 이해 확인 또 확인, **본문 연습 문제 + Review Test**

★ 정확하고도 빠른 지문 읽기 **직독직해 연습**

★ 원어민의 발음으로 듣는 전체 **지문 MP3** (QR 코드 & www.nexusbook.com)

★ 확실한 마무리 3단 콤보 **WORKBOOK**

MP3 바로가기

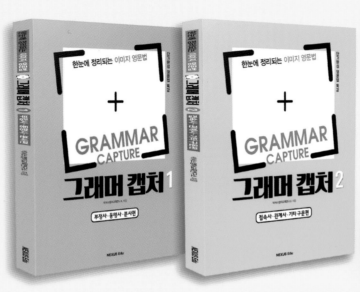

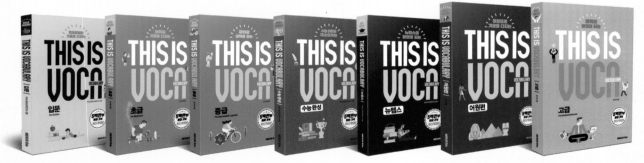

THIS

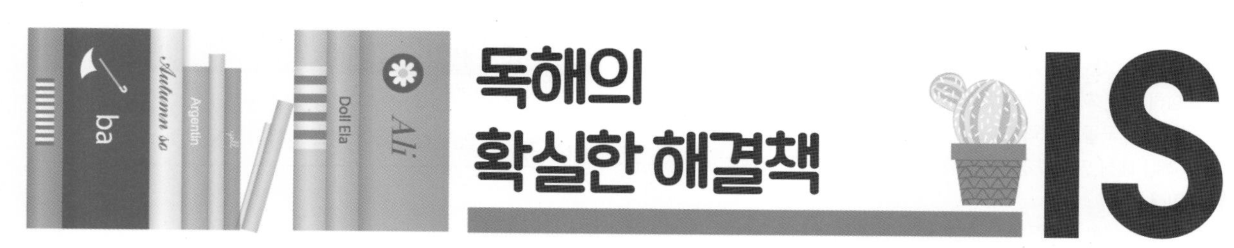

독해의
확실한 해결책

IS

READING

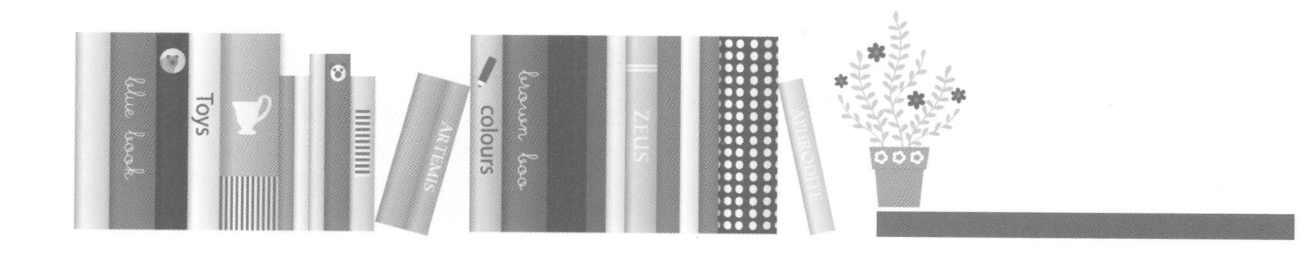

4

정답 및 해설

NEXUS Edu

Unit 01

01 | Mystery from the Seas p. 10

1 ③　2 ⑤　3 ③

4 그리스와 로마 문명의 발흥을 도왔다.

| 본문 해석 |

해상 민족은 기원전 1200년경에 지중해 동부의 주요 변화의 원인이 되었다. 그들은 이집트에 의한 패배 때까지, 히타이트 제국을 포함하여 그 지역에 거의 모든 강대국들을 공격해 파괴시켰다. 이런 강대국들의 몰락이 그리스와 로마 문명의 발흥을 도왔다. 그러나 해상 민족의 정확한 정체는 지금까지도 미스터리로 남아 있다.

해상 민족에 의한 공격들은 그 지역의 역사적 기록들을 혼란에 빠뜨렸다. 그들에 관해 우리가 가진 거의 모든 역사적 기록들은 이집트 기록이다. 이것들은 그들이 바다 한가운데 섬들에서 온 몇몇 부족들이었다고 말한다. 하나의 주된 학설은 해상 민족이 오늘날의 그리스나 터키 출신이었다는 것이다. (C) 그 이론은 그들이 그들 사회의 몰락 이후 열악한 상황을 도망쳐 나오고 있었다는 것이다. (B) 하나의 단서로, 그들은 종종 가족들과 소유물을 수레에 싣고 이동해 다녔다. (A) 하지만 그들의 공예품과 무기들은 그 시대의 그리스와 터키의 것들과 잘 어울리지 않는다. 또 다른 학설은 해상 민족이 티레니안 지역에서 왔다는 것이다. 여기에는 이탈리아 남부 그리고 시칠리아와 사르디니아의 섬들이 포함된다. 이곳들은 분명 바다 한가운데의 섬들로서 자격을 얻는다. 그러나 적어도 해상 민족의 한 부족인 블레셋 족은 구약성서로부터 블레셋 사람들일 것으로 여겨진다. 그들은 바다 한가운데서 왔던 것이 아니라 이집트 옆의 육지에서 왔다. 그렇게 적은 역사적 기록 문서를 고려해 볼 때, 해상 민족의 미스터리는 계속되고 있다.

| 문제 해설 |

1 해상 민족에 관한 거의 모든 역사적 기록들은 이집트 기록이라고 했으므로 ③이 일치하는 내용이다.

2 해상 민족의 기원에 대한 한 이론의 설명으로 (C)가 먼저 나오고, 그 이론에 대한 단서를 든 (B)가 이어지고, 이 이론을 반박하는 내용인 (A)가 마지막에 와야 글의 흐름이 자연스럽다. 따라서 정답은 ⑤ (C)-(B)-(A)이다.

3 빈칸이 있는 문장은 해상 민족이 바다 한가운데서 왔다는 이론에 대한 단서로 티레니안 지역의 섬들이 바다 한가운데의 섬들이라는 것으로 유추할 수 있다. 따라서 빈칸은 ③ qualify (자격을 갖추다)가 가장 적절하다.
① 부족하다 ② 사라지다 ④ 번창하다 ⑤ 협력하다

4 해상 민족이 지중해 지역의 강대국들을 멸망시킨 결과 그리스와 로마 문명의 발흥을 도왔다고 하였다.

| 직독 직해 |

- 정확한 정체는 / 해상 민족의 / 미스터리로 남아 있다 / 지금까지도
- 거의 모든 역사적 기록들은 / 우리가 갖고 있는 / 그들에 관해 / 이집트 기록이다
- 단서로서 / 그들은 종종 이동했다 / 그들의 가족과 소유물과 함께 / 수레에 싣고

02 | Mass Culture p. 12

1 ⑤　2 ④　3 ①

4 우리의 현재 상황들이 계속 변하기 때문에

| 본문 해석 |

우리가 보는 영화와 텔레비전 프로그램들. 우리가 라디오에서 듣는 노래들. 우리가 입는 옷들과 우리가 취하는 태도들. 그리고 이제 매일 점점 더 많이 이용하는 소셜 미디어. 이 모든 것들이 가진 공통점은 무엇일까? 그것들은 모두 대중문화, 주류 사회가 좋아하는 사상들, 상황들의 일부분이다. 이것은 문화에 있어 공통적인 것이다. 대중문화는 우리 주변 도처에 있으며 지속적으로 우리의 일상생활을 반영하고 영향도 미친다.

대중문화는 고급문화와 다르다. 후자는 널리 이용 가능하지 않고 사회적 인사들에게만 친숙하다. 순수 예술, 오페라 무대, 라이브 극장, 그리고 고도의 지적인 사상들이 그 예이다. 그것들은 진가를 알려면 많은 경험과 훈련과 심사숙고가 필요하다. 그에 비해, 대중문화는 더 단순하고 더 친숙하기 때문에 이해하기가 더 쉽다.

대중문화는 또한 민속 문화와 다르다. 민속 문화는 전통적이고 변하지 않는다. 그것은 더 앞선 시대에 있었던 방식들이다. 그리고 그것은 안정적인 반면 대중문화는 새롭고 신선하다. 대중문화는 사회 속에 현재 있는 것이다. 그것은 정치, 패션, 기술, 심지어 우리가 쓰는 언어까지 거의 모든 것을 다룬다. 그것은 그 호소력의 일부분이다. 대중문화는 우리의 현재 상황들과 관련되어 있다. 그러나 이런 상황들이 계속 변하기 때문에, 대중문화는 구식이 되어 갈 수 있다. 그럼에도 불구하고, 현대의 대중 매체는 계속해서 우리에게 대중문화를 공급할 것이다.

| 문제 해설 |

1 이 글은 대중문화와 고급문화와의 차이점, 대중문화와 민속문화와의 차이점에 대해 이야기하고 있으므로 ⑤가 글의 요지로 가장 적절하다.

2 밑줄 친 They는 앞 문장의 고급문화의 예시들을 가리키므로 ④ The items of high culture(고급문화의 항목들)가 정답이다.
① 대중문화 ② 사회적 인사들 ③ 예술적 재능 ⑤ 일반 대중

3 민속 문화는 전통적이고 변하지 않는다는 특징이 있고, 빈

칸은 whereas(~반면에)를 통해 새롭고 신선한 대중문화의 특징과 대조되는 민속 문화의 특징이 들어가야 하므로 ① stable(안정적인, 변치 않는)이 가장 적절하다.
② 효율적인 ③ 역동적인 ④ 필사적인 ⑤ 독립적인

4 대중문화는 우리의 현재 상황과 관련이 있으며 우리의 현재 상황들이 계속 변하기 때문에 구식이 되어갈 수 있다고 하였다.

| 직독 직해 |

- 이제 / 소셜 미디어 / 우리가 사용하는 / 점점 더 많이 / 매일
- 대중문화는 반영하고 영향을 미친다 / 우리의 일상생활에 / 지속적으로
- 대중 매체는 / 현대의 / 계속할 것이다 / 우리에게 대중문화를 공급하는 것을

03 | The Color Purple p. 14

1 ④ 2 ⑤ 3 ② 4 ⑤

| 본문 해석 |

보라색을 얻으려면 어떤 두 가지 색을 섞어야 할까? 아마도 많은 독자들이 빨간색과 파란색이라는 것을 알고 있을 것이다. 쉬워 보일지 모르지만, 실제로 보라색 물감이나 염료를 생산하는 것은 매우 힘들다.
중세 시대에는 조개껍데기는 염료를 만들기 위해 사용되었다. 염료 예술가는 보라색을 만들기 위해 희귀한 붉은 조개껍데기와 파란 조개껍데기를 구해야 했다. 염료 예술가가 완벽한 보라 염료를 혼합할 수 있게 되면 당시의 왕이나 왕비가 왕족 의상을 만들기 위해 이를 구입하곤 했다. 그들은 갈색, 회색, 기타 칙칙한 색의 옷만을 입을 수 있었던 가난한 사람들에게 화려하게 과시하곤 했다.
1856년에 한 화학자가 우연히 보라색을 만드는 방법을 발견하고 세상에 그 색을 판매하기 시작했다. 당시 영국 사교계에서는 짙고 우스꽝스러운 색깔의 옷만 입었다. (하지만) 갑자기 사람들이 보라색 옷을 입기 시작했다. 1920년대 이르러 많은 다양한 색깔이 옷에 사용될 수 있었고, 패션계는 활력을 띠게 되었다.
보라색의 위력은 1960년대에 인기 절정에 도달했고, 보라라는 단어가 음악, 군대, 정치와 같은 많은 다양한 분야에 사용되고 있다. 가수 프린스는 '퍼플 레인(보랏빛 비)'이라는 제목의 싱글 앨범을 발표했다. '퍼플 하트'는 군대에 복무하는 동안 부상을 입거나 전사한 군인에게 미국 대통령의 이름으로 수여되는 미군 훈장이다.

| 문제 해설 |

1 보라색의 '퍼플 하트'가 미국 대통령의 이름으로 수여되는 미군 훈장이라는 내용은 있지만, 보라색이 지금까지 미국 군인이 가장 좋아하는 색이라는 ④의 내용은 언급되지 않았다.

2 패션계는 활력을 띠게 되었다는 내용으로 보아 빈칸의 문장은 1920년대 이르러 많은 다양한 색깔이 옷에 사용되었음을 유추할 수 있다. 따라서 빈칸은 ⑤ available(이용할 수 있는)이 가장 적절하다.
① 먹을 수 있는 ② 강렬한 ③ 빽빽한 ④ 진지한

3 ⓑ가 있는 문장은 '조개껍데기는 염료를 만들기 위해 사용되었다.'라는 뜻이므로 수동태 동사 were used 다음은 '~하기 위하여'의 목적을 뜻하는 부사적 용법의 to부정사가 적절하다. 따라서 making은 make가 되어야 한다.

4 빈칸의 내용은 '중세 시대에 보라색 염료는 드물고 비쌌다. 그래서 왕족만이 자신들의 옷을 위해 그것을 구입할 여유가 있었다.'가 되어야 적절하다. 따라서 정답은 ⑤ uncommon(드문), buy(구입하다)이다.
① 보급된, 시도하다 ② 알려지지 않은, 버리다 ③ 얻기 쉬운, 고려하다 ④ 풍부한, 얻다

| 직독 직해 |

- 어떤 두 가지 색이 / 섞여야 할까? / 보라색을 얻으려면
- 당시에 / 영국 사교계는 단지 입었다 / 짙고 우스꽝스러운 색상을
- 보라라는 단어가 / 사용되어 왔다 / 많은 다양한 분야에

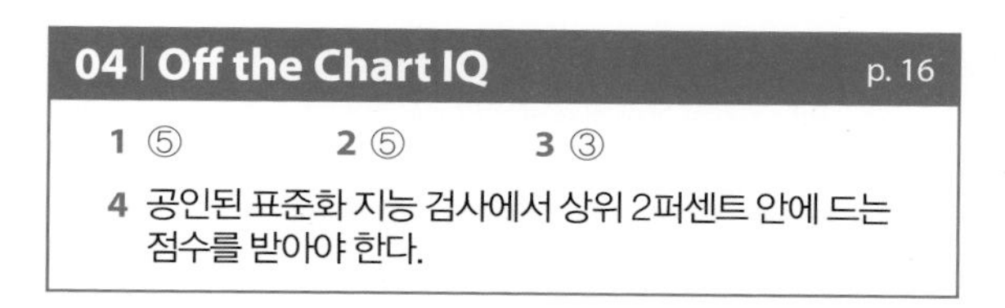

04 | Off the Chart IQ p. 16

1 ⑤ 2 ⑤ 3 ③
4 공인된 표준화 지능 검사에서 상위 2퍼센트 안에 드는 점수를 받아야 한다.

| 본문 해석 |

지능 지수 검사에서 점수가 140이거나 더 높은 사람은 천재이거나 천재에 가까운 사람으로 간주된다. 일부 전문가들은 세계 인구의 2퍼센트가 천재라고 추정한다. 엘리스 탠 로버츠도 분명히 천재이다. 그녀의 지능 지수는 156으로, 알베르트 아인슈타인보다 불과 4점이 낮다. 훨씬 더 놀라운 점은 엘리스가 연구 화학자도 아니고 유전 물리학자도 아니라는 사실이다. 엘리스가 멘사 인터내셔널의 최연소 회원이 된 것은 겨우 두 살 때였다. 멘사는 세계에서 가장 오래되고 유명한 지능 지수가 높은 집단이다. 멘사 회원이 되려면 공인된 표준화 지능 검사에서 상위 2퍼센트 안에 드는 점수를 받아야 한다.
엘리스는 16개월 때 열까지 셌고 놀랍게도 몇 개월 후에는 스페인어로 똑같이 셀 수 있었다. 또한 그녀는 수도 이름 35개를 댈 수 있었고 삼각형의 세 가지 유형을 구별할 수 있었다. 엘리스의 우수한 지능을 나타내는 다른 징후는 지역 놀이방에서 두드러졌다. 엘리스와 같은 놀이방에 다니는 한 아이의 엄마가 엘리스에게 장난감을 주면서 코뿔소라고 말했다. 그러자 총명한 소녀는 즉시 "그것은 코뿔소가 아니라 공룡의 일종인 트리케라톱스예요."라고 말했다. 엘리스의 부모는 그녀를 교육 심리학 전문가인

조앤 프리먼 교수에게 데려갔다. 45분에 걸친 복잡한 지능 검사를 하고 난 후에 프리먼 교수는 엘리스가 단지 똑똑하거나 총명한 정도가 아닌 그 이상으로 정말 '재능이 뛰어나다'고 말했다.

| 문제 해설 |

1 엘리스가 멘사 회원이라는 내용은 있지만 엘리스의 부모님 역시 멘사 회원으로 등록되어 있다는 내용은 언급되어 있지 않으므로 ⑤가 일치하지 않는 내용이다.

2 빈칸 이후의 내용은 코뿔소와 트리케라톱스를 구별하는 엘리스의 총명함에 대한 예시이므로 빈칸은 엘리스의 우수한 지능을 나타내는 다른 '징후'로 볼 수 있다. 따라서 빈칸은 ⑤ signs가 가장 적절하다.
① 지역 ② 지침 ③ 기회 ④ 예측

3 ⓐ 동사 is의 보어에 해당하므로 형용사 incredible이 적절하다. ⓑ 뒤의 명사 child를 수식하므로 소유격 관계대명사 whose가 적절하다. ⓒ 동사 reported의 목적어로 완전한 절을 이끌므로 접속사 that이 적절하다. 따라서 정답은 ③ incredible – whose – that이다.

4 멘사 회원이 되려면 공인된 표준화 지능 검사에서 상위 2퍼센트 안에 드는 점수를 받아야 한다고 하였다.

| 직독 직해 |

- 일부 전문가들은 추정한다 / 세계 인구의 2퍼센트가 / 천재라고
- 멘사는 이다 / 가장 오래되고 유명한 / 지능 지수가 높은 집단 / 세계에서
- 엘리스는 이었다 / 이상인 / 단지 똑똑하고 총명한

Review Test (01 ~ 04) p. 18

1 ① 2 ④
3 possessions
4 appreciate 5 flamboyantly 6 ③
7 being → be 8 is → are
9 A chemist happened to find a way to make the color purple.
10 Individuals who score 140 or higher on an IQ test are considered a genius.

| 문제 해설 |

1 obtain은 '얻다'라는 의미로 ① gain(얻다)이 가장 적절하다.
[우리는 그 정보를 용케 얻었다.]
② 새다 ③ 구하다 ④ 점검하다 ⑤ 바꾸다

2 promptly는 '즉시'라는 의미로 ④ quickly(빨리)가 가장 적절하다.
[그들은 뉴스 기사에 즉각적으로 반응했다.]
① 화를 내면서 ② 완전히 ③ 조심해서 ⑤ 열정적으로

[3~5]

| 보기 | 화려하게 소지품 감상하다 우스꽝스러운 중세의

3 저희는 귀하가 잃어버리거나 도둑맞은 소지품에 대해서 어떠한 책임도 지지 않습니다.

4 순수 예술을 감상할 수 있는 사람들은 얼마 되지 않는다.

5 그는 화려하게 차려 입어서 쉽게 눈에 띄였다.

6 ③에서 Richard, Yolanda는 서로 다른 대상으로 등위접속사 and로 연결된 구조이다. 나머지는 동격 관계이다.
① 내 오랜 친구인 제인은 지난 주말에 나를 찾아 왔다.
② 어제 나는 위층에 살았던 노부인인 앤더슨 씨를 우연히 만났다.
③ 리처드, 욜란다, 그리고 마크는 우리 여행에 동참할 것이다.
④ 세계에서 가장 높은 타워 중 하나인 도쿄 스카이트리는 600미터 높이이다.
⑤ 마크로소프트웨어의 설립자인 폴 게이츠는 강연을 하러 한국을 방문할 예정이다.

7 believe는 [be believed to부정사] 형태의 수동태를 갖출 수 있으므로 to being은 to be로 고쳐야 한다.
[그 그림은 300년 이상이 되었다고 믿어지고 있다.]

8 주어는 Some pages이므로 동사는 복수형이 되어야 한다. 따라서 is는 are로 고쳐야 한다.
[이 책에서 몇 페이지가 없다.]

Unit 02

05 | Blanket of Pasta p. 20

1 ③　2 ③　3 ④
4 오븐에서 다시 요리되므로

| 본문 해석 |

라자냐는 수세기 전에 처음 언급되었던 이탈리아의 가장 오래된 파스타 요리들 중 하나이다. 그것은 깊은 그릇에 라자냐 파스타 시트 층과 소스 층을 번갈아 놓는 식으로 만들어진다. 그런 다음 그 그릇을 오븐에 넣고 굽는다. 파스타 시트가 그릇 바닥에 달라붙는 것을 피하기 위해 그릇 바닥은 소스가 덮이게 하도록 권장된다. 라자냐는 네모 모양으로 잘라 제공된다. 가족 요리로서 라자냐는 가정 요리와 가정식 식사와 관련되어 있다.
라자냐의 재료들은 이탈리아의 지역마다 다를 수 있다. 그 소스는 토마토, 양파, 당근, 셀러리, 돼지고기 혹은 소고기로 만들어진 걸쭉한 라구 소스일 수 있다. 또 다른 종류의 소스는 밀가루, 버터, 그리고 우유로 만들어진 베샤멜 소스이다. 어떤 요리법들은 리코타 치즈가 필요한 반면 다른 것들은 모차렐라 치즈가 필요하다. 그러나 대부분의 요리법은 두 번째 치즈로 파마산 치즈를 추천한다. 시금치나 주키니 같은 채소들과 심지어 버섯들도 추가될 수 있다.
라자냐 파스타 시트 또한 여러 다양한 것들이 있다. 전통적인 요리법들은 그것이 구워지기 전에 삶은 파스타 시트를 쓴다. 한 가지 팁은 그것들이 오븐에서 다시 요리될 것이기 때문에 과도하게 삶지 않는 것이다. 라자냐 파스타 시트는 삶지 않는 것도 있다. 그것들은 전혀 삶을 필요가 없고 마른 형태로 오븐용 접시에 놓인다. 이것은 시간과 노력을 절약하지만, 몇몇 사람들은 그것들을 좋지 않은 것으로 여긴다.

| 문제 해설 |

1 라자냐 요리법에 여러 치즈가 들어갈 수 있고 두 번째 치즈로 파마산 치즈를 추천한다는 내용은 있지만 파마산 치즈가 가장 선호된다는 내용은 언급하지 않았다. 따라서 ③이 일치하지 않는 내용이다.

2 alternating은 '번갈아 하기, 대체하기'라는 뜻이므로 ③ switching(교체하기)이 의미상 가장 가깝다.
① 흡수하기 ② 운반하기 ④ 장식하기 ⑤ 생략하기

3 빈칸 뒤의 내용은 이탈리아의 지역마다 다른 라자냐의 재료들을 소개하고 있으므로 빈칸은 ④ ingredients(재료)가 가장 적절하다.
① 이익 ② 간격 ③ 검사 ⑤ 영향

4 전통적인 요리법에서 라자냐 파스타 시트는 삶은 파스타 시트를 사용하는데 오븐에서 다시 요리되므로 과도하게 삶을 필요가 없다고 하였다.

| 직독 직해 |

- 라자냐는 하나이다 / 가장 오래된 파스타 요리들 중에 / 이탈리아의
- 대부분의 요리법은 추천한다 / 파마산 치즈를 / 두 번째 치즈로
- 이것은 절약한다 / 시간과 노력을 / 하지만 몇몇 사람들은 여긴다 / 그것들을 / 좋지 않은 것으로

06 | Throwing Away p. 22

1 ⑤　2 ③　3 ④　4 ④

| 본문 해석 |

세계의 낡은 전자 제품들 대부분은 사람들의 집 안에 놓여 있다. 결국에, 전자 제품 폐기물, 즉 e-폐기물이 될 것이다. 그것을 재활용하는 것이 이상적이긴 하지만, 오늘날 대부분의 전자 기기들은 쉽게 재활용될 수 있게 설계되지 않았다. 게다가, 그것들은 빼내기 힘든 유독한 중금속들을 포함하고 있다. 우리의 낡은 텔레비전과 개인용 컴퓨터 그리고 휴대폰은 어느 시점에는 버려져야만 할 것이다. 그리고 그럴 때, 그것들의 목적지는 쓰레기 매립장, 소각로 혹은 재활용 센터가 될 수 있다.
e-폐기물이 결국 쓰레기 매립지로 가게 되면, 그 유독한 금속들과 화학 물질들이 시간이 흐르면서 땅속으로 새어 들어갈 수 있다. 몇몇 유럽 국가들은 e-폐기물을 쓰레기 매립지에 놓는 것을 금지하지만, 대부분의 나라들은 그러한 금지법이 없다. (B) 쓰레기 매립지에 독성 물질들이 먹이 사슬로 들어가 사람에게 돌아올 수 있다. (C) e-폐기물은 또한 결국 그것을 태우는 곳인 소각로로 갈 수도 있다. (A) 하지만 이것이 납과 카드뮴, 그리고 수은 같은 독성 물질을 공기 중에 방출할 수 있다. 이를 예방하기 위해 일부 소각로들에는 엄격한 (배기가스) 배출 규제가 있다. 유감스럽게도, 다수가 그러지는 않는다.
e-폐기물은 재활용 센터로 갈 수 있는데, 미국에서는 e-폐기물의 약 40퍼센트가 그렇다. 그러나 비판가들은 재활용이 수고를 할 만한 가치가 없다고 생각한다. 그리고 그들은 많은 재활용 센터들이 원시적 단계의 재활용을 위해 불법으로 e-폐기물을 인도와 중국, 나이지리아 같은 나라들로 실어 나른다고 주장한다. 예를 들어, 그 e-폐기물은 야외에서 그냥 태워질지 모른다.

| 문제 해설 |

1 e-폐기물은 버려지면 그 속에 있는 유독한 금속들과 화학 물질들이 다양한 방식으로 환경에 좋지 않은 영향을 주고 있음을 이야기하고 있다. 따라서 ⑤가 주제로 가장 적절하다.

2 ban은 '금지하다'라는 뜻이므로 ③ prohibit(금지하다, 막다)가 의미상 가장 가깝다.
① 완화시키다 ② 승인하다 ④ 받아들이다 ⑤ 허가하다

3 e-폐기물이 쓰레기 매립지에 놓일 경우에 대한 부연 설명으로 (B)가 와야 하고, e-폐기물이 다른 장소인 소각로에 갈 경

우인 (C)가 다음에 이어지고, 소각로에서 e-폐기물의 독성 물질이 공기 중에 방출될 수 있다는 (A)가 오면 글의 흐름이 자연스럽다. 따라서 정답은 ④ (B)-(C)-(A)이다.

4 미국은 e-폐기물의 약 40퍼센트가 재활용 센터에 간다고 했으므로 ④가 일치하는 내용이다.

| 직독 직해 |

- 오늘날 대부분의 전자기기들은 / 설계되지 않았다 / 쉽게 재활용 되도록
- 독성 물질들은 / 쓰레기 매립지에 있는 / 먹이사슬에 들어갈 수 있다 / 그리고 인간에게 돌아올 수 있다
- 예를 들면 / e-폐기물은 그냥 태워질지 모른다 / 야외에서

07 | Chinatown

p. 24

1 ② 2 ② 3 ④ 4 ③

| 본문 해석 |

중국인은 미국에 들어온 최초의 아시아인 이민자였다. 그들은 18세기에 미국으로 이민 왔다. 그러나 중국인들이 훨씬 이른 시기에도 미국에 있었다는 주장이 있어 왔다. 최초의 중국인 이민자들은 숙련된 장인, 어부, 호텔과 음식점 주인을 비롯하여 부유하고 성공적인 상인이었다.
대규모 이민은 캘리포니아의 골드러시 기간인 1800년대 중반에 시작됐다. 1851년에 이르러 캘리포니아에서 일하고 있던 중국인들은 2만 5천 명이었고, 대부분 '골드러시' 지역과 그 주변, 샌프란시스코 근처에 집중되어 있었다. 그 시기 동안에 미국에 거주했던 중국인의 반 이상이 그 지역에 살았다. 이 중국인들은 집단으로 모여 살면서 열심히 일하고 검소하게 생활했다. 이 집단의 인구가 증가하면서 그들은 미국 전역에 걸쳐 '차이나타운'이라 불리는 커다란 민족 지구를 형성했다.
미국 최초면서 가장 유명한 차이나타운은 의심할 여지없이 샌프란시스코에 있었다. 샌프란시스코에 위치한 차이나타운은 100년에 걸쳐 지진, 화재, 도시 재건을 견뎌냈고, 여전히 똑같이 풍요로운 문화를 유지하면서 같은 동네에 남아 있다. 차이나타운은 전통적으로 중국계 미국인들이 살고 일하고 장을 보는 장소였다. 이런 도시들은 1800년대에 많은 경우에 인구가 조밀한 빈민가들이었지만, 차이나타운은 1900년대 중반에 들어 범죄와 마약으로 찌든 지역에서 조용하고 다채로운 관광지로 바뀌었다.

| 문제 해설 |

1 이 글은 미국에 이민한 중국인들이 형성한 차이나타운의 역사에 대해 설명하는 글이므로 ②가 주제로 가장 적절하다.

2 빈칸이 이끄는 문장과 그 다음 문장은 1800년대와 1900년대 중반의 차이나타운을 대조하는 내용이므로, '비록 ~이지만'을 뜻하는 ② Although가 빈칸에 와야 가장 적절하다. ① However는 접속 부사로 부사절을 이끌 수 없다.
① 하지만 ③ 결과적으로 ④ 게다가 ⑤ ~이기 때문에

3 샌프란시스코에 위치한 차이나타운은 100년에 걸쳐 지진, 화재, 도시 재건을 견뎌냈다고 했으므로 '샌프란시스코의 차이나타운은 지진으로 피해를 입었었다'는 ④의 내용을 유추할 수 있다.

4 글의 문맥상 ⓒ는 앞의 25,000 Chinese를 수식하는데 '일하고 있던'이라는 능동의 의미가 되어야 하므로 현재분사 working이 적절하다. 따라서 worked를 working으로 바꿔야 한다.

| 직독 직해 |

- 중국인은 이었다 / 최초의 아시아인 이민자 / 미국에 들어온
- 이 중국인들은 모여 있었다 / 집단으로 / 열심히 일하면서 / 그리고 검소하게 생활하면서
- 차이나타운은 전통적으로 이었다 / 장소들 / 중국계 미국인들이 사는

08 | Underwater Forests

p. 26

1 ⑤ 2 ① 3 ② 4 ④

| 본문 해석 |

여러분은 바다에도 열대 우림과 매우 비슷한 환경이 있다는 사실은 모르고 있을 것이다. 이런 환경을 우리는 '산호초'라 부른다. 산호초는 끊임없이 생식하고 팽창하는 '산호충'이라는 작은 바다 생물에 의해 만들어진다. 산호충은 계속 생식하고 팽창하기 때문에 이 작은 동물들은 점점 퍼져 나가 거대한 집단을 이룬다. 산호충은 죽으면서 뼈대를 남긴다. 그 뼈대가 바위 같은 구조물인 산호초가 되는 것이다.
새들이 밀림 지대의 나무에 서식하는 것처럼 물고기와 기타 바다 생물은 산호 속이나 그 주변에 서식한다. 이것을 집이라 부르는 수많은 종의 물고기와 기타 해양 생물들이 있다. '산호 숲'이 그곳에 서식하는 모든 해양 생물들에게 충분할 만큼 큰 군락을 형성하는 데는 수만 년이 걸린다. 산호충은 작은 생물이고, 그들의 뼈대 또한 매우 작아서 이들 산호초가 형성되는 데는 엄청나게 긴 시간이 걸린다.
불행하게도 산호초가 처한 상황이 변하고 있다. 오염, 과도한 어업, 따뜻해지는 바다, 인간의 개발, 기타 환경적 파괴가 산호충을 죽인다. 그 결과 산호초도 죽어 가고 있다. 너무나 많은 바다 생명체를 위한 서식지가 사라지고 있는데, 이는 해양 생물뿐만 아니라 지구 전체에도 끔찍한 결과를 초래한다. 그러므로 다음에 산호초가 있는 바다로 스노클링이나 스쿠버다이빙을 하러 가면, 서식 동물의 경이로운 색깔, 크기, 모양을 봐라. 그들의 집을 보호하도록 도와줄 수 있는 방법을 생각해 봐라.

| 문제 해설 |

1 산호충은 계속 생식하고 팽창한다고 하였지 산호초로 변하기 위해 급속히 성장한다는 언급은 없다. 따라서 ⑤는 사실과 다르다.

2 밑줄 친 this는 문맥상 수많은 종의 물고기와 기타 해양 생물들이 집이라 부르는 '산호'를 가리킨다. 따라서 ① the coral이 정답이다.
② 밀림 지대 ③ 해양 생물 ④ 뼈대 ⑤ 열대 우림

3 dire는 '끔찍한, 무서운'이라는 뜻이므로 ② dreadful이 의미상 가장 가깝다.
① 소심한 ③ 까다로운 ④ 신중한 ⑤ 읽고 쓸 줄 아는

4 주어진 문장은 '불행하게도 산호초가 처한 상황이 변하고 있다.'는 뜻이므로 (D)에 들어가면 이것의 예시에 해당하는 내용이 이어져 글의 흐름이 자연스럽다.

| 직독 직해 |

- 있다 / 환경이 / 매우 비슷한 / 우리의 열대 우림과
- 물고기와 기타 바다 생물은 / 산다 / 산호 속이나 그 주변에
- 방법을 생각해 봐라 / 우리가 보호하도록 도와줄 수 있는 / 그들의 집을

Review Test (05 ~ 08)

p. 28

1 ③ 2 ④
3 alternate 4 landfill
5 frugally 6 ③
7 is worth with → is worth
8 have you cleaned → did you clean
9 It is recommended that the bottom of the dish be covered in sauce.
10 Large-scale immigration began in the mid 1800s during the California Gold Rush.

| 문제 해설 |

1 wealthy의 최상급 wealthiest는 '가장 부유한'이라는 의미로 반대말은 ③ poorest(가장 가난한)가 된다.
[독일은 세계에서 가장 부유한 국가 중 하나이다.]
① 가장 부유한 ② 가장 강한 ④ 가장 큰 ⑤ 가장 어려운

2 primitive는 '원시적인'이라는 의미로 ④ advanced(발전된)가 반대말이 된다.
[그 기술은 원시적이고 시대에 뒤떨어졌다.]
① 오래된 ② 불가능한 ③ 이용할 수 있는 ⑤ 현실적인

[3~5]

| 보기 | 검소하게 설립하다 번갈아 ~하다 쓰레기 매립지 견디다

3 여러분은 디저트를 만들려면 크림과 초콜릿 층을 번갈아 깔아야 한다.

4 새 쓰레기 매립지 설립 계획은 격렬한 반대에 부딪혔다.

5 나는 그가 부자임에도 불구하고 검소하게 생활하는 모습을 보고 깊은 인상을 받았다.

6 사람의 성격을 나타내는 형용사가 쓰이는 경우, to부정사의 의미상의 주어는 of와 함께 써야 한다. 나머지는 모두 for이다.
① 그에게 소프트웨어 사용법을 가르쳐 주는 것은 나에게 쉬운 일이 아니었다.
② 나는 엉망진창이 된 것을 치우는 데 3시간이 걸렸다.
③ 내 생일을 기억해 주다니 너는 사려 깊구나.
④ 그 기계는 무거운 물건을 드는 데 사용된다.
⑤ 그 회의는 2시간 동안 지속되었다.

7 worth는 바로 뒤에 목적어를 취할 수 있으므로 with는 삭제되어야 한다.
[그 조각품은 100만 달러의 가치가 있다.]

8 현재완료는 구체적인 과거 시점을 나타내는 부사구나 when과 같은 의문사와 함께 쓰이지 않는다. 따라서 현재완료를 단순 과거 시제로 고쳐야 한다.
[언제 집을 청소했니?]

Unit 03

09 | Great Apes p. 30

1 ⑤ 2 ⑤ 3 ④ 4 ①

| 본문 해석 |

말레이어로 '숲의 사람'으로 알려져 있는 오랑우탄은 숲에 사는 동물 가운데 지구상에서 가장 크다. 인도네시아의 수마트라와 보르네오 섬에서 발견된 이 붉은 털의 영장류는 대부분의 시간을 나무 꼭대기에서 보내면서 그네를 타고 기어오르고 거꾸로 매달려 지낸다. 그리고 오랑우탄은 거대하다! 수컷 오랑우탄의 무게는 약 75킬로그램이고, 키는 거의 1.5미터에 달한다.

그러나 이 동물들은 몸집은 크지만, 산불, 벌채, 사냥꾼 등 숲 속에서 많은 위험에 직면한다. 실제로 오랑우탄에 미치는 위협은 너무나 심각해져서 이들이 이제는 멸종 위기에 처한 동물로 여겨진다. 하지만 보르네오에 위치한 세필록 재활 센터는 오랑우탄을 보호하고 싶어 한다. 센터에서 직원들은 병에 걸리고 부상당한 오랑우탄을 건강해질 때까지 돌본다. 또한 고아가 된 오랑우탄 새끼에게 숲에서 살아가는 방법을 가르친다. 새끼 오랑우탄이 자라면 직원들은 그들을 야생으로 데려다가 풀어 준다.

센터는 전 세계적으로 유명하다. 서로 다른 나라에서 온 방문객들이 이곳에 와서 어린 동물이 먹고 노는 장면을 지켜본다. 일부 방문객들은 센터가 동물들에게 줄 먹이와 약품의 비용을 지불할 수 있도록 돈을 기부한다. 그리고 어떤 사람들은 몇 달 동안 센터에서 자원봉사까지 한다. 자원봉사자들은 새끼를 보살피거나 진료소에서 아픈 동물들을 보살필 수 있다. 때때로 그들은 또한 나가서 숲으로 돌아간 오랑우탄들을 관찰하기도 한다. 누구든지, 심지어 당신도 자원봉사를 할 수 있다! 고아가 된 동물을 돕고 싶은 마음이 있는가?

| 문제 해설 |

1 세필록 재활 센터가 오랑우탄 보호를 위해 하는 일을 소개하고 있다. 따라서 오랑우탄을 보호하고 돌보는 재활 기관의 소개가 목적으로 가장 적절하므로 ⑤가 정답이다.

2 인도네시아의 오랑우탄은 산불, 벌채, 사냥꾼 등으로 인한 많은 위험에 놓여 있고, 이 위협이 너무나 심각하다고 했으므로 빈칸은 ⑤ endangered(멸종 위기에 처한)가 가장 적절하다.
① 살아 있는 ② 상징적인 ③ 위험한 ④ 기적 같은

3 세필록 재활 센터의 직원들은 새끼 오랑우탄이 자라면 야생으로 데려다가 풀어 준다고 했으므로 ④는 사실과 다르다.

4 ⓐ는 의미상 동사 live의 주어 역할을 하며, 선행사 the largest animals를 수식하고 있으므로 관계대명사 that이 적절하다. what은 선행사를 포함하는 관계대명사이다.

| 직독 직해 |

- 센터에서 / 직원들은 돌본다 / 병에 걸리고 부상당한 오랑우탄을
- 직원들은 그들을 데려간다 / 야생으로 / 그리고 그들을 풀어준다
- 어떤 사람들은 자원봉사까지 한다 / 센터에서 / 몇 달 동안

10 | A Sip of Tea p. 32

1 ① 2 ① 3 ③
4 날씨를 예측할 수 없기 때문에

| 본문 해석 |

세계를 여행하며 차를 마시는 데 돈을 받는다면 어떨까? 그것은 전문적인 차 감정사들의 일이다. 차는 자연의 산물이어서 그 맛과 품질이 다양할 수 있다. 이것은 차가 같은 밭에서 난 것이든 아니든 사실이다. 왜냐하면 날씨를 예측할 수 없기 때문이다. 차 샘플의 질과 맛을 평가하는 것이 차 감정사들의 일이다. 만약 해야 한다면, 그들은 더 나은 맛을 위해 여러 가지 차 샘플들을 혼합할 것이다. 차 감정사들은 차 회사들이나 고급 호텔들을 위해 일하는 동안 하루에 수십 혹은 심지어 수백 잔의 차 샘플을 조금씩 마신다. 그들은 한 스푼의 차를 빠르게 홀짝여 그 차가 빠른 속도로 미뢰(맛 봉오리)에 닿게 한다. 이것은 또한 맛이 더 나도록 차에 산소를 더해준다. 그런 다음 그들은 차를 내뱉고 다음 샘플로 이동하기 전에 그 차를 평가한다.

하나의 차 샘플이 온 장소, 그 나라뿐만 아니라 지역까지 식별하도록 혀를 훈련시키는 데 5년 이상이 걸린다. 초보자들은 경험 많은 멘토 밑에서 훈련한다. 그 직업은 또한 다양한 나라들을 여행하는 것이 필요하므로, 뛰어난 의사소통 능력이 필요하다. 차를 평가하기 위해, 차 산업에 적절한 정확한 언어를 써야 한다. 게다가, 차 감정사는 차가 어떻게 재배되는지, 차가 어떻게 시장에서 거래되는지, 그리고 적절한 가격을 추천하기 위해 차에 대한 수요에도 익숙해져야 한다.

| 문제 해설 |

1 차 감정사들은 차를 감정할 때 한 스푼의 차를 빠르게 홀짝여 그 차가 빠른 속도로 미뢰에 닿게 한다고 했으므로 ①이 일치하지 않는 내용이다.

2 blend는 '섞다, 혼합하다'는 뜻이므로 ① mix(섞다)가 의미상 가장 가깝다.
② 모으다 ③ 분석하다 ④ 삼키다 ⑤ 구입하다

3 두 번째 문단에서 차 감정사가 되기 위해 필요한 여러 능력들을 소개하고 있으므로 ③이 유추의 내용으로 가장 적절하다.

4 차의 맛과 품질이 다양한 이유는 같은 밭에서 나온 것이든 아니든 날씨를 예측할 수 없기 때문이라고 하였다.

| 직독 직해 |

- 차 감정사들은 조금씩 마신다 / 수십 혹은 심지어 수백 잔을 / 차 샘플의 / 하루에
- 그들은 평가한다 / 차를 / 이동하기 전에 / 다음 샘플로
- 여러분은 사용할 필요가 있다 / 정확한 언어를 / 차 산업에 적절한

11 | Geometric Clouds p. 34

1 ③ 2 ① 3 ② 4 ③

| 본문 해석 |

행성들은 둥글고 대개 그 주위를 도는 둥근 구름 띠가 있다. 그러나 토성은 1981년에 보이저 우주선이 그 상공을 날았을 때 놀랄 만한 것을 가지고 있었다. 그것의 북극 주위에 원형의 구름 대신, 육각형 모양이 있다. 이 토성 육각형은 수십 년간 과학자들을 어리둥절하게 했다. 그것은 너비가 32,000킬로미터로, 지구보다 더 넓다. 그것은 깊이가 100킬로미터이고, 그 행성과 동일하게, 시속 322킬로미터로 돈다. 중심에는 원형 폭풍이 있다. 토성의 남극에는 이런 육각형 패턴이 없고, 그것과 같은 어떤 것도 다른 행성의 어디에서도 보이지 않는다.
과학자들은 토성 육각형이 안정적이라고 생각한다. 왜냐하면 그 행성에는 그것의 바람을 분산시킬 지형들이 없기 때문이다. 목성과 유사하게, 토성은 그것의 표면 가까이에 암석지가 전혀 없는 가스상 거대 혹성이다. 지구에는 지구의 날씨를 항상 변하게 만드는 산들과 대륙 그리고 만년설이 있다. 지구 상에 허리케인들은 약 일주일 정도 지속되지만, 이 토성 육각형은 수십 년 혹은 심지어 수세기 동안 지속될지 모른다.
과학자들은 컴퓨터 시뮬레이션으로 육각형 가스를 만들어 냈다. 핵심은 다른 바람들이 충돌할 때 만들어지는 공기의 소용돌이를 갖는 것이었다. 그러나 이 시뮬레이션은 100킬로미터 깊이의 바람들이 아닌, 표면 근처의 바람들을 이용했을 뿐이다. 따라서 이 시뮬레이션이 실제로 토성 육각형을 설명하는 것인지 여부는 두고 볼 일이다.

| 문제 해설 |

1 토성 육각형은 토성과 동일하게 시속 322킬로미터로 회전한다고 했으므로 토성의 회전 속도는 300킬로미터 이상으로 볼 수 있다. 따라서 ③이 일치하는 내용이다.

2 ⓐ의 its는 '토성'을 가리키지만, 나머지 보기는 '토성의 육각형'을 나타낸다. 따라서 ①이 정답이다.

3 토성 육각형이 가스와 결합할 경우 형태가 변한다는 내용은 언급되지 않았으므로 ②가 일치하지 않는 내용이다.

4 collide는 '충돌하다, 부딪히다'라는 뜻이므로 ③ clash(충돌하다, 대립하다)가 의미상 가장 가깝다.
① 결합하다 ② 감소하다 ④ 휙휙 소리가 나다 ⑤ 나아가다

| 직독 직해 |

• 토성은 가지고 있었다 / 놀랄만한 것을 / 보이저 우주선이 상공을 날았을 때 / 1981년에
• 토성은 이다 / 가스상 거대 혹성 / 암석지가 전혀 없는 / 그것의 표면 가까이에
• 핵심은 이었다 / 공기의 소용돌이를 갖는 것 / 만들어지는 / 다른 바람들이 충돌할 때

12 | The Youngest Ever p. 36

1 ⑤ 2 ② 3 ⑤
4 '캠프 그리즐리'라는 영화를 감독해 달라는 것

| 본문 해석 |

샬리 스토벌은 할리우드 최연소 영화감독이라는 명예를 가지고 있다. 그는 열세 살 때 '작은 수도승'이라는 제목의 단편 영화를 감독해서 몇 개의 상을 수상하고 할리우드의 영향력 있는 사람들을 들썩거리게 만들었다. 그러고 나서 그는 유명한 할리우드 영화 스튜디오에서 '캠프 그리즐리'라는 영화를 감독해 달라는 제의를 받았다.
그는 영화를 제작하기 전에 다큐멘터리를 제작했었다. 그가 아홉 살 때 제작한 첫 다큐멘터리의 제목은 '신을 찾아서'였다. 그는 전 세계 사람들에게 신이 어떻게 생겼을 거라고 생각하는지 인터뷰했다. 그는 사람들이 신의 모습을 얼마나 다르게 상상하는지 알고 싶었다. 그는 이 다큐멘터리로 전국 어린이 영화제에서 1등을 차지했다. 게다가 이 다큐멘터리가 너무 훌륭해서 메이저 텔레비전 방송국인 HBO에까지 팔렸다. 이 다큐멘터리에서 그는 달라이 라마와 같은 유명한 종교 지도자들을 인터뷰했다. 그러고 나서 그는 미국 선거에 대한 다큐멘터리를 찍어 유명해졌다. 그는 이 다큐멘터리를 제작하기 위해 많은 상원의원들뿐만 아니라 조지 부시 미국 전 대통령도 인터뷰했다.
그는 소년에 불과했지만 자신의 일로 많은 성공을 거뒀다. 또한 열세 살부터 보수를 잘 받는 영화감독이 되었다. 샬리는 아이들의 엄청난 예술적 잠재력을 보여 준다. 샬리가 이례적이기는 하지만, 오늘날 젊은이들에게는 잠재력이 너무나 많다고 많은 교사들이 말한다. 자신이 좋아하는 일을 추구하기만 한다면 그들 또한 샬리처럼 천재적인 잠재성을 소유하고 있다는 사실을 깨닫게 될 것이다.

| 문제 해설 |

1 샬리 스토벌은 영화를 제작하기 전에 다큐멘터리를 제작했었다고 했으므로 ⑤는 사실과 다르다.

2 빈칸 이후의 내용은 샬리 스토벌이 제작한 다큐멘터리가 주요 텔레비전 방송국인 HBO에까지 팔렸다는 내용이므로 앞 문장에 대한 부연 설명으로 볼 수 있다. 따라서 빈칸은 '게다가'를 뜻하는 ② In addition이 적절하다.
① 그러므로 ③ ~에도 불구하고 ④ 그러나 ⑤ 그래서

3 주어진 문장은 '그는 이 다큐멘터리를 제작하기 위해 많은 상원의원들뿐만 아니라 조지 부시 미국 전 대통령도 인터뷰했다.'는 내용이므로 미국 선거에 대한 다큐멘터리를 찍어 유명해졌다는 (E) 앞 문장에 대한 예시이다. 따라서 (E)에 오는 것이 적절하다.

4 샬리 스토벌은 유명한 할리우드 영화 스튜디오에서 '캠프 그리즐리'라는 영화를 감독해 달라는 제의를 받았다고 하였다.

| 직독 직해 |

• 그는 알고 싶었다 / 얼마나 다르게 / 사람들이 상상하는지 / 신의 모

습을
• 그는 인터뷰했다 / 유명한 종교 지도자들을 / 달라이 라마와 같은
• 많은 교사들은 말할 것이다 / 오늘날 젊은이들이 갖고 있다고 / 너무 나 많은 잠재력을

Review Test (09 ~12) p. 38

1 ①	2 ③	3 donate
4 evaluate	5 geometric	6 ②

7 If → Whether
8 no → any
9 They teach orphaned orangutan babies how to live in the forest.
10 His first documentary, made when he was nine, was called *Looking 4 God.*

| 문제 해설 |

1 threat는 '위협, 위험'이라는 의미로 ① danger(위험)가 가장 적절하다.
[마을에서 먹이를 찾아다니는 배고픈 곰들은 주민들에게 큰 위협이다.]
② 놀라움 ③ 노여움 ④ 유인 ⑤ 오락

2 demonstrate는 '보여 주다'라는 의미로 ③ show(보여 주다)가 가장 적절하다.
[여러분은 심사 위원 앞에서 여러분의 기술과 능력을 보여 주어야 한다.]
① 끝내다 ② 가르치다 ④ 배우다 ⑤ 논쟁하다

[3~5]

| 보기 | 육각형 (가격 등을) 감정하다 기하학적인 기부하다 엄청난

3 마이크는 사망 시에 장기를 기증하겠다는 동의서에 서명했다.
4 그의 업무는 골동품의 가격을 감정하는 것이다.
5 삼각형, 오각형, 팔각형은 모두 기하학적인 모양이다.
6 ②의 as ~ as는 동등 비교의 의미이다. 나머지는 보기는 모두 양보(비록 ~이지만)의 의미로 쓰였다.
① 이 칼은 비록 작긴 하지만 다양한 쓰임새가 있다.
② 이 칼은 신용 카드만큼 작다.
③ 비록 작기는 하지만 칼날은 매우 날카롭다.
④ 비록 작기는 하지만 이 칼은 매우 잘 든다.
⑤ 비록 작기는 하지만 이 칼은 매우 실용적이다.
7 밑줄 친 If는 문맥상 '~이든 아니든 관계없이'라는 의미의 부사절을 이끄는 접속사여야 한다. 따라서 If 대신 Whether가 쓰여야 한다.
[우리는 성공하든 실패하든 노력해야 한다.]
8 without은 그 자체로 부정의 의미가 있으므로 다음에 no와 같은 부정어가 나오면 이중 부정이 된다. 따라서 no는 any로 바꿔야 한다.
[먹을 것이나 물이 없이 사람은 얼마나 오랫동안 살아남을 수 있을까?]

Unit 04

13 | National Fruit p. 40

1 ④	2 ④	3 ①	4 ⑤

| 본문 해석 |

망고는 오늘날 세계에서 가장 인기 있는 열대 과일들 중 하나이다. 그것은 남아시아 원산이지만 수천 년 동안 동아시아와 동아프리카에서 재배되었다. 이제 그것은 브라질과 멕시코, 중국 같은 다른 열대 국가들에서 재배된다. 그것은 인도와 파키스탄, 그리고 필리핀의 국가 과일이다. 망고 나무는 방글라데시의 국가 나무로 300년 넘게 살 수 있다.
망고의 색깔은 노랑과 주황, 빨강 혹은 녹색으로 다양할 수 있다. 그 맛은 대개 달지만, 질감은 부드러운 것부터 단단한 것까지 있을 수 있다. 망고를 먹는 한 가지 방법은 과일을 반으로 자르고 중앙에 씨를 빼는 것이다. 그런 다음 칼을 껍질 위에 두고 칼로 과육을 사각형으로 자른다. 그리고는 끝을 잡고 과육 부분을 밀어낸다. 망고를 먹는 또 다른 방법은 과일 샐러드에 사각형 망고 덩어리를 놓는 것이다. 망고 주스를 마시거나 망고 아이스크림을 즐길 수도 있다.
유감스럽게도, 망고는 어떤 경우에는 알레르기 반응을 유발할 수 있다. 라텍스 알레르기가 있는 사람들은 아나카르드 산이 들어 있는 망고를 피해야 한다. 망고 껍질에는 일부에서 알레르기 반응을 일으킬 수 있는 우루시올도 포함되어 있다. 게다가, 망고 농장주들은 때때로 건강에 좋지 않을 수 있는 탄화칼슘을 이용해 열매를 숙성시킨다. 따라서 먹기 전에는 늘 망고를 씻거나 유기농을 사야 한다.

| 문제 해설 |

1 이 글은 망고에 대한 다양한 특징들을 설명하고 있는데 ④ 크기 및 모양에 대한 언급은 없다.
2 망고는 인도, 파키스탄, 필리핀의 국가 과일이라고 했으므로 ④가 일치하는 내용이다.
3 빈칸 뒤의 내용을 보면 망고가 알레르기 반응을 유발할 수 있는 예시가 나오므로 빈칸은 '유발하다'를 뜻하는 ① trigger가 가장 적절하다.
② 소화하다 ③ 무시하다 ④ 이식하다 ⑤ 처방하다
4 ripen은 '~을 익게 하다, 숙성시키다'라는 뜻이므로 ⑤ mature(~을 원숙하게 하다)가 의미상 가장 가깝다.
① 저장하다 ② 전시하다 ③ 거래하다 ④ 소비하다

| 직독 직해 |

• 그리고는 / 끝을 잡아라 / 그리고 밀어내라 / 과육 부분을
• 유감스럽게도 / 망고는 유발할 수 있다 / 알레르기 반응을 / 어떤 경우에는
• 여러분은 항상 씻어야 한다 / 망고를 / 먹기 전에 / 또는 유기농을 사야 한다

14 | Leaving Cuba p. 42

1 ③ 2 ④ 3 ②

4 바다에서 헤엄칠 때 상어나 다른 바다 생물들이 다가오지 못하게 하기 위해

| 본문 해석 |

많은 쿠바인들이 쿠바에서 벗어나 정치적이고 경제적인 상황에 대한 대안을 찾기 위해 조국을 떠나려 애를 써왔다. 호세는 학교를 갓 졸업한 아주 젊은 나이에 바다에 뛰어들어 수영을 하는 것으로 미국으로의 첫 번째 도주를 시도했다. 그가 간신히 바다로 뛰어들자마자 쿠바 경찰에 붙잡혔다. 그들은 그를 감옥에 보내는 대신에 군대에 배치했다. 그는 군대에서 복무하는 동안 하루에 3킬로미터를 수영하며 다음번 도주를 준비하기로 결심했다. 헌병대는 호세가 다시 도주하기 위해 준비하고 있다고 의심했지만, 호세는 단지 체력을 단련하기 위해서라고 말했다.

호세는 5년에 걸친 호된 훈련 끝에 자신이 도주할 준비가 되었다는 것을 깨달았다. 그는 출발하기로 계획한 날에 엔진 오일을 몸에 발랐다. 그는 자신이 상어와 다른 바다 생물 사이를 헤엄치게 되리라는 것과 엔진 오일이 이런 포식자를 다가오지 못하게 하는 데에 도움이 될 것이라는 사실을 알았다. 호세는 모든 바다 생물 사이를 가르며 바다를 헤엄치고 헤엄쳐서 마침내 미국이 통치하는 관타나모 만 지역에 도착했다. 그는 200킬로미터가 넘는 거리를 수영했기 때문에 신체적으로 탈진했고 몸 전체에는 경련이 일어나기 시작했다.

호세는 쿠바와 미국 통치 지역을 가르는 바다를 수영해서 미국 해안선에 안전하게 도달했지만 쿠바로 추방될까 봐 두려워했다. 하지만 그는 최근에 영주권을 받았다.

| 문제 해설 |

1 이 글은 쿠바에서 미국으로의 도주를 위해 오랜 준비 끝에 결국 200킬로미터가 넘는 거리를 수영하여 미국에 도착한 후 영주권을 받아낸 남자의 이야기이므로, '결코 포기하지 않았던 한 남자의 승리'를 뜻하는 ③ The Victory for the Man Who Never Gave Up이 제목으로 가장 적절하다.
① 미국 해안선 주위를 수영한 남자 ② 노숙자였던 한 쿠바 난민 ④ 쿠바 군대를 탈출한 이야기 ⑤ 쿠바에서 미국까지 수영하는 최적의 경로

2 expelled는 '추방된'이라는 뜻이므로 ④ dismissed(퇴거 명령 받은)가 의미상 가장 가깝다.
① 제출된 ② 교환된 ③ 공헌된 ⑤ 흡수된

3 주어진 문장은 '그들은 그를 감옥에 보내는 대신에 군대에 배치했다.'를 뜻하므로 (B) 앞 문장의 the Cuban police가 그들을 뜻하고 (B) 뒤 문장에서 그(호세)가 군대에서 복무하게 되었다는 내용이 나온다. 따라서 (B)에 오는 것이 흐름상 자연스럽다.

4 호세는 미국으로 도주하기 위해 바다를 헤엄쳐야 했고, 엔진 오일을 몸에 바르는 것이 상어나 다른 바다 생물들이 다가오지 못하게 하는 데에 도움이 된다는 것을 알았다.

| 직독 직해 |

- 헌병대는 의심했다 / 그가 준비하고 있다고 / 다시 도주하는 것을
- 그는 헤엄치고 헤엄쳤다 / 모든 바다 생물 사이를 / 바다에서
- 최근에 / 그는 얻었다 / 자신의 영주권을

15 | Staying Young p. 44

1 ② 2 ① 3 ③

4 건강한 식단, 육체적 운동, 사회적으로 활동성 유지

| 본문 해석 |

우리들 대부분은 나이가 들면 흰머리와 주름이 생긴다는 것을 예상할 수 있다. 우리는 또한 나이로 인해 정신력 감퇴의 단계에 직면할 수 있다. 그렇다면 노화 과정에서 정상으로 여겨지는 것이 무엇이고 우리는 그것에 대해 무엇을 할 수 있을까? 그 하나로 우리의 심장 박동 수가 조금 줄어드는 것을 예상할 수 있고 혈관과 동맥이 더 경화된다. 이 때문에, 우리 심장은 혈액을 내보내기 위해 더 열심히 일해야 한다. 그 결과로 더 높아진 혈압은 여러 가지 다른 문제들을 야기할 수 있다. 이와 싸우기 위해, 우리는 매일의 일상에 운동을 포함시킬 수 있다. 이것이 혈압을 낮추고 동맥 경화를 줄이고 그 과정에서 몸무게를 적게 유지하는 것을 도울 수 있다. 우리는 많은 채소와 과일, 통 곡물과 섬유질이 들어 있는 건강식을 먹고 더불어 과도한 나트륨과 지방은 배제할 수 있다. 우리는 스트레스를 관리하고 충분한 수면을 취할 수 있다. 이 모든 것들이 우리의 심장을 건강하게 유지하도록 도울 것이다.

우리의 지적 능력 면에서, 노화로 기억력이 어느 정도 감소할지 모른다. 새로운 것을 배우거나 단어 혹은 이름들을 기억하는 데 더 오래 걸릴 수 있다. 그러나 정신적으로 예리함을 유지하기 위해 몇몇 것들을 할 수 있다고 알려져 왔다. 건강한 식단과 육체적 운동은 혈액이 우리 뇌로 계속 흘러가도록 돕는다. 그리고 사회적으로 계속 활동적인 것이 나이가 들수록 정신적으로 총기를 지켜가도록 돕는다. 외로움은 우울증과 정신적 기능 저하를 초래하는 경향이 있다.

| 문제 해설 |

1 첫 번째 문단은 나이가 들면 심장의 기능이 약화되므로 심장을 건강하게 유지하는 다양한 방법들을 제시하고 있다. 따라서 ②가 주제로 가장 적절하다.

2 combat는 '싸우다, 방지하다'라는 뜻이므로 ① counter(대항하다, 반대하다)가 의미상 가장 가깝다.
② 기대하다 ③ 단단히 고정시키다 ④ 옮기다 ⑤ 항복하다

3 주어진 문장은 '이 때문에, 우리 심장은 혈액을 내보내기 위해 더 열심히 일해야 한다.'라는 뜻이므로, 심장 박동수 가 줄어들고 혈관과 동맥이 경화될 경우에 대한 심장의 반응을 나타낸다. 따라서 (C)에 오는 것이 가장 적절하다.

4 노화로 인해 기억력이 감소할 수 있지만 건강한 식단, 육체적 운동, 사회적으로 활동성을 유지하는 것이 정신적 총기를 유지하기 위한 방식으로 제시되었다.

| 직독 직해 |

• 우리는 또한 직면할 수 있다 / 정신력 감퇴의 단계에 / 나이로 인해
• 결과는 이다 / 더 높은 혈압 / 그것은 야기할 수 있다 / 여러 가지 다른 문제들을
• 사회적으로 계속 활동적인 것은 / 우리가 유지하도록 돕는다 / 정신적으로 총기가 있도록 / 우리가 나이가 들수록

16 | Submarine Volcano p. 46

1 ④	2 ③	3 ⑤	4 ③

| 본문 해석 |

화산은 큰 뉴스거리를 제공하는 장엄한 자연적 사건이다. 2009년에 과학자들이 지켜보고 연구한 화산은 사진 촬영이 그다지 쉽지 않았고 하물며 필름에 담기는 더욱 쉽지 않았다. 이 화산은 태평양의 해수면보다 1,200미터 넘게 아래에 있고, 과학자들이 이제껏 본 것 중에서 가장 깊은 활화산이다. 과학자들은 2009년에 최초로 가장 깊은 해저 화산이 폭발하는 장엄한 광경을 녹화했다.
과학자들은 수중 로봇을 사모아 섬 근처의 바다로 보내서, 이글거리는 해저 용암 흐름을 담은 최고의 영상 이미지를 포착했다. 과학자들은 이런 이미지를 분석하면 지구의 지각과 지각이 형성된 방식을 이해하는 데 도움이 되리라 확신한다. 해양 지질학자로 일하는 밥 엠블리는 "그 수심에서는 수압이 강력한 화산 폭발을 억제하므로 우리는 폭발이 진행되고 있는 곳에서 몇 피트 되지 않는 곳까지 심해 로봇을 보낼 수 있었다."고 말했다. 그 수심에서는 물이 매우 차서 용암이 매우 차가운 바닷물에 거의 닿자마자 얼어붙었다. 로봇은 화산 분출물 위를 이리저리 다니며 자신의 팔로 용암 표본을 수집할 수 있었다.
심해 화산의 활동을 필름에 담아내는 데 거의 25년이 걸렸다. 이렇게 깊은 곳에서 발생하는 해저 화산 폭발을 이렇듯 자세하게 목격한 사람은 여태껏 아무도 없었다. 과학자들은 이 심해의 경이를 통해 화산에 대한 많은 사실을 배우고 있다.

| 문제 해설 |

1 이 글은 최초로 가장 깊은 해저 화산이 폭발하는 광경을 필름에 녹화한 것을 묘사하고 있다. 따라서 ④가 주제로 가장 적절하다.

2 suppress는 '억제하다'는 뜻이므로 ③ holds back(저지하다)이 의미상 가장 가깝다.
① 그럭저럭 살아가다 ② 분해하다 ④ 거저 주다 ⑤ 밀어 넘어뜨리다

3 과학자들은 해저 화산 폭발의 사진 촬영과 필름의 녹화 과정이 쉽지 않았다고 하였고, 심해 화산의 활동을 필름에 담아내는 데 거의 25년이 걸렸다고 했으므로 ⑤가 유추할 수 있는 내용이다.

4 빈칸의 내용은 '강한 수압이 격렬한 폭발을 약화시켜서 수중 로봇이 해저 활화산에 접근할 수 있었다.'가 되어야 적절하다. 따라서 정답은 ③ approach(접근하다), weakened(약화된)이다.
① 도달하다, 폭발한 ② 떠나다, 위험에 처한 ④ 나아가다, 짓눌린 ⑤ 떠맡다, 부딪힌

| 직독 직해 |

• 화산은 이다 / 장엄한 자연적 사건 / 큰 뉴스거리를 제공하는
• 그것은 이다 / 가장 깊은 활화산 / 과학자들이 이제껏 본
• 걸렸다 / 거의 25년이 / 심해 화산의 활동을 담아내는 데 / 필름에

Review Test (13 ~16) p. 48

1 ②	2 ⑤	3 trigger
4 permanent	5 combat	6 ②

7 more less → much less 또는 still less
8 strengthening → (to) strengthen
9 He feared that he would be expelled to Cuba.
10 This volcano is over 1,200 meters below sea level in the Pacific Ocean.

| 문제 해설 |

1 departure는 '출발'이라는 의미로 ② arrival(도착)이 반대말이 된다.
[우리는 5시에 출발하기로 예정되어 있다.]
① 여행 ③ 계획 ④ 예약 ⑤ 발권

2 freeze는 '얼다'라는 의미로 ⑤ melt(녹다)가 반대말이 된다.
[호수는 얼기 시작했다.]
① 깨지다 ② 식히다 ③ 바람이 불다 ④ 불에 타다

[3~5]

| 보기 | 싸우다 영구적인 과도한 유발하다 다양하다

3 그의 모욕적인 언사는 분명히 대중들로부터 분노의 반응을 유발할 것이다.
4 그는 정규직을 그만두고 프리랜서로 일하기 시작했다.
5 정부는 범죄와 가난을 척결할 계획을 발표했다.
6 ②의 up to는 거리상 wake up(걸어가다), to(~쪽으로)가 합쳐진 표현인 반면 나머지는 수치상 '최대 ~까지'라는 의미로 쓰였다.
① 기온은 최대 섭씨 30도까지 올랐다.

② 나는 마이크에게 다가가서 '안녕'이라고 말했다.
③ 트럭은 최대 2500kg까지 실을 수 있다.
④ 그 경기장은 최대 3만 명을 수용할 수 있다.
⑤ 최대 11명까지 그 게임을 할 수 있다.

7 '~는 고사하고, ~는커녕'이라는 의미로 much less 또는 still less가 쓰인다.
[나는 쓰기는커녕 읽지도 못한다.]

8 help는 to부정사를 목적어로 취한다. to가 생략된 원형부정사가 쓰이기도 한다.
[엘리베이터 대신 계단을 이용하는 것은 다리 근육을 강화하는 데 도움이 된다.]

Unit 05

17 | Safety on the Ice p. 50

1 ⑤ 2 ① 3 ②
4 아이스하키용 스케이트가 피겨스케이트용 스케이트보다 날이 더 짧고 둥글다.

| 본문 해석 |

안전은 아마도 대부분의 스포츠들에서보다도, 아이스하키에서 하나의 우려 사항이다. 빙상 위에서의 스케이팅은 빨리 멈추기가 힘들어 선수들끼리 서로 충돌하고, 벽에 부딪히거나, 또는 빙상 위에서 넘어지는 것을 의미한다. 또한 퍽은 위험하다. 왜냐하면 경질 고무로 만들어지고 고속으로 이동할 수 있기 때문이다. 그래서 선수들은 많은 장비를 착용함으로써 보호받아야만 한다. 그리고 관중들 또한 아이스링크 주변 전체에 투명한 플라스틱 가림막으로 퍽으로부터 보호받아야 한다. 그 가림막이 퍽 뿐만 아니라 선수들이 벽에 충돌할 때 관중들 위로 떨어지지 않도록 막는다.
아이스하키 선수들을 위한 보호 장비의 목록은 길다. 아이스하키용 스케이트는 피겨스케이트용 스케이트와 비교해 날이 더 짧고 둥글다. 이것은 선수들이 경기 중에 빠르고 안전하게 돌 수 있게 한다. 헬멧에는 눈을 보호할 플라스틱 챙과 얼굴을 보호할 케이지(새장 모양 틀)가 있다. 마우스 가드(입에 넣는 플라스틱 보호 커버)는 치아를 보호한다. 패드는 어깨와 팔꿈치, 그리고 정강이를 보호한다. 커다란 아이스하키 장갑은 손을 보호한다. 이것들에 더하여, 골키퍼는 골대를 방어하는 동안 그들을 보호할 추가 장비를 착용해야 한다. 이것들에는 가슴 보호대와 골키퍼 얼굴 마스크, 그리고 다리 보호대가 포함된다.

| 문제 해설 |

1 이 글은 아이스하키에서 관중들의 안전을 위한 플라스틱 가림막, 선수들의 안전을 위한 다양한 보호 장비의 기능을 설명하고 있으므로 ⑤가 글의 요지로 가장 적절하다.

2 transparent는 '투명한'이라는 뜻이므로 ① clear(맑은, 투명한)가 의미상 가장 가깝다.
② 비어 있는 ③ 꽉 찬 ④ 불투명한 ⑤ 풍부한

3 아이스하키 선수용 장비 중 골키퍼가 추가로 착용하는 장비에는 가슴 보호대가 포함되므로 ②가 정답이다.

4 아이스하키용 스케이트는 피겨스케이트용 스케이트와 비교해 날이 더 짧고 둥글다고 하였다.

| 직독 직해 |

- 선수들은 / 보호받아야 한다 / 많은 장비를 착용하는 것으로
- 보호 장비의 목록은 / 아이스하키 선수들을 위한 / 길다
- 이것은 가능하게 해 준다 / 선수들이 / 빠르고 안전하게 돌도록 / 경기 중에

18 | Suing Animals p. 52

1 ③ 2 ③ 3 ⑤ 4 ①

| 본문 해석 |

중세 프랑스에서는 사람들이 동물이나 곤충 때문에 화가 날 때 해결책이 있었다. 바로 그들을 고소하는 것이었다. 화가 난 사람이 변호사를 고용하면 정부는 동물을 위해 변호사를 선임하고 양측이 법정에 섰다. 1545년에 몇몇 프랑스 농부는 바구미가 자신들이 재배한 모든 농작물을 먹는다고 화가 났다. 그래서 농부들은 바구미를 고소했다. 물론 인간이 승소했다. 판사는 바구미의 유죄를 선언했고, 농작물을 파괴하는 행동을 멈추라고 명령했다. 이 사건의 재미있는 점은 바구미가 그 후로 15년 동안 농작물을 전혀 파괴하지 않았다는 사실이다.

13세기 들어 특히 무더웠던 여름에 프랑스 남부의 한 작은 마을에서 주민들은 모기 때문에 미칠 지경이었다. 물론 마을 사람들은 모기를 고소했다. 이 성가신 모기를 대변했던 변호사는 자신의 의뢰인에게는 사람을 물 권리가 있다고 주장했다. 판사는 모기에게 마을을 떠나라고 명령했지만 모기가 떼 지어 영원히 살 수 있도록 땅 한 구획을 수여했다. 오늘날까지도 여전히 이 땅은 프랑스 법에 따라 공식적으로 모기의 소유이다.

1400년대에는 수탉 한 마리가 '수컷 마녀'라는 이유로 고소당했다. 수탉이 저지른 죄는 알을 낳았다는 것이었다. 수탉은 마녀라는 이유로 체포되어 공개 처형당했다. 우리에게는 이 사건들이 기괴하게 보일지 모르지만, 프랑스 역사의 이 시기에는 드문 일이 아니었다. 당시 프랑스의 법정 기록을 보면 동물을 상대로 한 소송이 넘쳐났다.

| 문제 해설 |

1 이 글은 중세 프랑스에서 동물이나 곤충에게 사람들이 고소를 했던 재미있는 소송 사건들에 대해 소개하고 있으므로 '프랑스의 일부 우스꽝스러운 소송 사건들'을 뜻하는 ③이 제목으로 가장 적절하다.
① 프랑스에서 처형당했던 동물들 ② 프랑스에서 중세 법의 중요성 ④ 프랑스 법에 따른 동물들의 좋은 대우 ⑤ 프랑스에서 변호사와 판사 사이의 관계

2 판사는 바구미들에게 농작물을 파괴하는 행동을 멈추라고 명령했으므로 바구미들이 죄가 있다고 선언했음을 유추할 수 있다. 따라서 빈칸은 ③ guilty(유죄의)가 가장 적절하다.
① 무례한 ② 순진한 ④ 사악한 ⑤ 죄 없는

3 모기는 판사로부터 마을을 떠나라는 명령을 받았지만, 그들이 영원히 살 수 있는 땅 한 구획을 받았다고 했으므로 ⑤가 소송의 결과로 가장 적절하다.

4 bizarre는 '기괴한, 별난'이라는 뜻이므로 ① odd(이상한, 별난)가 의미상 가장 가깝다.
② 민감한 ③ 무딘 ④ 예외적인 ⑤ 친밀한

| 직독 직해 |

- 몇몇 프랑스 농부들은 화가 났다 / 바구미가 먹는다고 / 자신들의 농작물 전부를
- 프랑스 법에서 / 이 땅은 / 공식적으로 속한다 / 모기에게
- 수탉은 체포되었다 / 그리고 공개 처형되었다 / 마녀라는 이유로

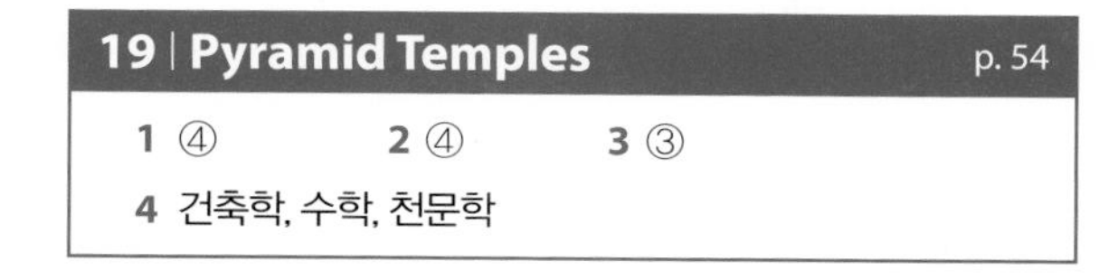

19 | Pyramid Temples p. 54

1 ④ 2 ④ 3 ③

4 건축학, 수학, 천문학

| 본문 해석 |

중앙아메리카에서 비롯된 한 고대 문명인 마야 문명은 윤이 나는 페인트를 사용해서 건물이 햇빛을 받으면 반짝거리게 만들었다. 마야인들은 도서관과 피라미드 모양의 사원을 지었다. 그들은 심지어 구기 경기장용으로 사용하기 위해 대형 원형 경기장을 지었다. 마야인들의 사회는 당시에 존재했던 다른 사회보다 발달했다.

마야인들은 건축학, 수학, 천문학을 알고 있었다. 그들은 천문학 관측소를 가지고 있었으며, 그곳에서 금성의 위상을 기록했다. 그들의 터키옥과 점토 도자기, 점토 조각상은 오늘날에도 계속해서 과학자들의 감탄을 자아낸다. 그들은 수백 년 전에 자신들만의 글을 소유했다. 실제로, 마야 언어는 오늘날에도 많은 나라에서 계속 사용되고 있으며, 마야인이 쓴 고대 희곡은 유엔으로부터 걸작으로 인정을 받았다.

마야 건축은 고대 로마나 그리스에서 발견되는 것과 똑같이 탁월하고 장엄하다. 마야의 도시들은 자연스러운 땅의 모양을 따라 지어졌고, 모든 도시는 사원이나 피라미드 주위에 집중돼 있다. 마야의 도시들 대부분은 당시 대부분의 유럽 도시에서 찾아볼 수 있는 방어용 구조물과 벽이 거의 없었다.

마야의 힘이 절정에 이른 것은 800년과 마야 문명이 붕괴하기 시작한 1000년 사이이다. 마야 문명의 멸망을 초래한 것이 무엇이었는지 어느 누구도 확실히 알지 못한다. 하지만 대부분의 사람들은 마야 문명사회가 여태껏 알려지고 연구되어 온 문명 중 가장 성공적이고 세련된 문명의 하나였다는 사실에 동의할 것이다.

| 문제 해설 |

1 이 글은 고대 마야 문명의 특성과 역사를 설명하는 글이므로, ④ '고대의 뛰어난 문명'이 제목으로 가장 적절하다.

2 마야 문명은 유럽과 달리 방어용 구조물이나 벽이 거의 없었다고 했으므로 ④가 사실과 다르다.

3 dazzle은 '감탄하게 하다'라는 뜻이므로 ③ astonish(놀라게 하다)가 의미상 가장 가깝다.
① 머무르다 ② 인용하다 ④ 발견하다 ⑤ 추정하다

4 두 번째 단락에서 마야인들은 건축학, 수학, 천문학을 알고 있었다고 했다.

| 직독 직해 |

- 마야인들의 사회는 더 발달했다 / 다른 사회들보다 / 존재했던 / 그 당시에
- 그들은 갖고 있었다 / 천문학 관측소를 / 그들이 기록했던 / 금성의 위상을
- 마야의 도시들은 지어졌다 / 자연스러운 모양을 따라 / 땅의

20 | Private Eye p. 56

1 ④ 2 ① 3 ⑤ 4 ⑤

| 본문 해석 |

이것은 세계 최초의 탐정에 대한 이야기다. 만약 여러분이 셜록 홈즈라고 추측한다면 잘못 생각한 것이다. 실제로 세계 최초의 탐정은 유진 프랑수아라는 프랑스인이었다. 법 집행 분야에 들어서기 전에 베테랑 범죄자였던 프랑수아에게 탐정의 일은 매우 쉽게 여겨졌다. 그러므로 그는 범죄자처럼 생각하는 방법을 알았다.
프랑수아의 10대 시절은 불안정했다. 그는 아직 중학교에 다니고 있을 때 첫 번째 범죄를 저질렀다. 그는 부모님의 귀중품을 모두 강탈하고, 부모님이 운영하는 빵집의 현금 출납기에서 많은 돈을 훔쳤다. 그는 결국 체포되어 투옥되었지만, 도망을 쳤다. 프랑수아는 배우처럼 언제나 변장을 하고 살았다. 예를 들어, 은행 직원으로 변장해서 은밀히 은행을 털었다. 그는 때때로 체포되어 감옥에 갔지만 그때마다 탈옥했다. 프랑수아가 절대적인 최고의 도둑이었기 때문에 다른 범죄자들은 그를 대단히 존경했다. 모든 범죄자들은 프랑수아의 주변에 있으면서 그에게서 한 수 배우고 싶어 했다.
마침내 프랑수아는 범죄자로서의 삶을 청산하고 비밀 탐정이 되기로 결심했다. 프랑수아는 범죄자들의 존경을 받았기 때문에 그들과 함께 살면서 정보를 쉽게 얻었다. 그러면 경찰은 도둑과 기타 범죄자들을 쉽게 잡을 수 있었다. 프랑수아는 범죄 행동에 대한 자신의 깊은 이해와 변장술을 결합해서 사설탐정의 개념을 만들어냈다. 이러한 개념은 놀라운 효력을 발휘해서 단 1년 동안 프랑수아는 경찰이 800명 이상의 범인을 잡을 수 있도록 도와주었다.

| 문제 해설 |

1 이 글은 세계 최초의 탐정이었던 유진 프랑수아의 범죄자로서의 삶과 그 이후의 비밀 탐정으로서의 삶을 보여주고 있다. 따라서 '서로 다른 두 가지의 삶'을 뜻하는 ④ Two Different Lives가 제목으로 가장 적절하다.
① 이중 비밀 첩보원 ② 위대한 탈출의 귀재 ③ 800명의 범인이 잡히다 ⑤ 프랑수아와 그의 프랑스 시조

2 빈칸 앞의 내용은 프랑수아가 베테랑 범죄자였기 때문에 탐정의 일이 매우 쉽게 여겨졌다는 내용이므로, 프랑수아는 '범죄자처럼 생각하는 방법'을 알았다고 유추할 수 있다. 따라서 빈칸은 ① how to think like a criminal이 가장 적절하다.
② 군중으로부터 벗어나는 방법 ③ 외모를 제대로 바꾸는 방법 ④ 위험한 상황에 대처하는 방법 ⑤ 경찰과 쉽게 가까워지는 방법

3 ⓐ 앞의 명사를 수식하며 '~의 이름인'을 뜻하는 것은 과거분사 named이다. ⓑ A(사람)에서 B(물건 · 권리 · 능력)를 빼앗다를 뜻할 때, 동사 rob은 rob A of B의 형태로 쓰이므로 of가 적절하다. ⓒ 동사 decide는 to부정사를 목적어로 취하므로 to give up이 적절하다. 따라서 정답은 ⑤ named – of – to give up이다.

4 빈칸의 내용은 '유진 프랑수아는 어렸을 때부터 악명 높은 범죄자였다. 하지만 그는 마음을 고쳐먹고 범인을 잡기 위해 비밀리에 일했다.'가 되어야 적절하다. 따라서 정답은 ⑤ notorious(악명 높은), secretly(비밀리에)이다.
① 인위적인, 자주 ② 알려진, 거의 ~ 않은 ③ 수많은, 부지런히 ④ 알려지지 않은, 계속해서

| 직독 직해 |

- 그는 이었다 / 베테랑 범죄자 / 법 집행 분야에 들어서기 전에
- 그는 저질렀다 / 첫 번째 범죄를 / 아직 중학교에 다니고 있을 때
- 그는 도왔다 / 경찰이 / 800명 이상의 범인을 잡을 수 있도록

Review Test (17~20) p. 58

1 ③
2 ⑤
3 transparent
4 committing
5 glittering
6 ⑤
7 drinking raw water is → is drinking raw water
8 to loved and accepted → to be loved and accepted
9 The judge awarded them a piece of land where they could live forever.
10 The police had no trouble catching thieves and other criminals.

| 문제 해설 |

1 remedy는 '해결책'이라는 의미로 ③ solution(해결책)이 가장 적절하다. medicine(약)의 의미도 있지만 문맥상 의미가 어울리지 않으므로 답이 될 수 없다.
[가난에 대한 간단한 해결책은 없다.]
① 약 ② 문제 ④ 수단 ⑤ 길, 방법

2 absolute는 '완전한, 완벽한'이라는 의미로 ⑤ complete(완전한)가 가장 적절하다.

[네가 방금 말한 것은 완전히 말이 안 된다!]

① 상대적인 ② 0의 ③ 재미있는 ④ 이상한

[3~5]

| 보기 | 저지른 정교한 투명한 빛나는 격동의

3 그 용기는 투명한 플라스틱으로 되어 있어서 내용물을 볼 수 있다.

4 40대의 한 남성이 방화를 저지른 죄로 체포되었다.

5 호수는 햇빛에 아름답게 빛나고 있었다.

6 ⑤는 '오다'라는 의미로 쓰인 반면 나머지는 변화를 나타내는 2형식 동사 '~로 되다'는 의미로 쓰였다.
① 나사는 느슨하게 풀렸다.
② 상황은 곧 분명해질 것이다.
③ 그의 신발끈은 풀렸다.
④ 내가 문을 밀자 문은 열렸다.
⑤ 그녀는 조용히 방으로 들어왔다.

7 보어가 도치될 때에 주어가 대명사가 아닌 경우 동사는 주어 앞으로 나와야 한다.
[날 생선을 먹으면 병이 날 수 있다. 또한 원수(原水)를 마시는 것도 위험하다.]

8 수동태 to부정사는 [to be p.p.]의 형태를 취한다.
[우리는 모두 사랑받고 받아들여지기를 원한다.]

Unit 06

21 | Mammalian Milk p. 60

1 ③ 2 ④ 3 ③
4 해로운 미생물을 파괴하고 유통 기한을 연장해주는 것

| 본문 해석 |

모유가 신생아에게 필수적이라는 사실은 누구나 알고 있다. 항체와 완벽한 영양분이 어머니에게서 아기에게로 직접 전달된다. 그러나 이 불투명하고 하얀 액체는 아기의 밥이 되는 것 외에 어떤 다른 용도가 있을까? 그렇다. 아이스크림, 요구르트, 치즈, 버터, 휘핑크림을 만드는 데 사용된다. 이 제품들은 소에게서만 나올까? 그렇지 않다. 사실 유제품의 주요 원천이자 세계적으로 가장 인정을 받고 있는 원천은 솟과(소와 들소)가 맞다. 그러나 풍부한 칼슘과 단백질의 다른 원천을 보라. 말, 양, 염소, 야크(야생 들소), 낙타, 물소, 심지어 순록까지 모두 우유 산업과 수많은 종류의 제품 생산에 기여한다. 무엇을 선호하든지 간에 우유의 모든 원천에는 단백질, 젖당(설탕), 포화 지방과 불포화 지방, 칼슘, 필수 비타민이 가득하다.
소비자의 안전을 위해, 판매되는 대부분의 우유는 저온 살균이나, 균질화를 거치거나, 두 가지 과정을 모두 거친다. 가열 과정의 하나인 저온 살균은 우유에 자연적으로 발생하는 해로운 미생물을 파괴한다. 저온 살균은 또한 우유와 유제품의 유통 기한을 연장시키는 역할도 한다. 균질화는 크림이 우유의 나머지 부분으로부터 분리되는 것을 막아 준다. 균질화는 유분이 많은 크림이 우유에 골고루 퍼지게 한다. 또한 이 과정은 유제품의 생육 가능한 유통 기한을 연장시켜 준다. 비록 우유의 화학적 구조가 종마다 다르더라도 적당히 먹으면 그것들 모두 좋다는 것은 좋은 소식이다.

| 문제 해설 |

1 이 글은 우유의 용도, 원천, 우유를 만들기 위해 필요한 과정을 설명하는 글이므로 우유에 관한 포괄적인 사실에 대해 이야기하고 있다. 따라서 ③ '우유에 관한 사실'이 제목으로 적절하다.

2 첫 번째 빈칸에는 뒤 문장을 근거로 모유가 신생아에게 '필수적'이라는 내용이 적절하고, 두 번째 빈칸에는 우유에 속한 원천 중 '필수적인' 비타민이 가득하다는 내용이 적절하므로 두 빈칸에 공통으로 들어가는 말로 ④ essential이 가장 알맞다.
① 사소한, 소수의 ② 속이 빈 ③ 다른 ⑤ 선풍적인

3 종마다 우유의 화학적 구조가 다르더라도 적당히 먹어야 몸에 좋다고 했으므로 ③이 글쓴이의 의견이다.

4 우유의 저온 살균 과정은 해로운 미생물을 파괴하고 유통 기한을 연장해준다고 하였다.

| 직독 직해 |

• 그 밖에 무엇으로 / 이 불투명하고 하얀 액체가 사용될까? / 아기의 밥이 되는 것 외에
• 보라 / 다른 원천을 / 풍부한 칼슘과 단백질의
• 균질화는 퍼지게 한다 / 유분이 많은 크림이 / 골고루 / 우유에

22 | Being a Reporter p. 62

1 ④ 2 ③ 3 ① 4 호기심

| 본문 해석 |

뉴스의 수집과 보도는 정보를 교환하는 가장 중요하고 실용적인 방법이다. 이것은 항상 그래왔다. 그러나 훨씬 더 중요하면서, 뉴스 기자의 성공과 그들의 직업에 영향을 미치는 다른 자질들이 있다. 그것들 중 하나는 일반적인 지성이다. 천재가 될 필요는 없지만 일반적인 지성은 기자가 점차 성장하는 지식 기반을 확장하는 데 도움을 준다. 지식의 팽창은 또 다른 중요하고 필요한 자질, 즉 호기심에서 비롯된다. 기자는 세상과 세상을 사는 사람들, 단순한 매일의 활동에 끝없는 호기심을 가질 필요가 있다. 그 다음으로, 보도에서의 객관성은 머리를 쓸 일이 없는 간단한 일이다. 공평하고 편견 없는 신문 잡지는 뉴스 보도의 본질적인 부분이다. 이야기의 사실을 알고 사실만을 보도하는 것 또한 기자들에게 중요하다. 사실을 꾸미거나 무시하는 것은 이야기 작가의 자질이지 기자의 자질은 아니다. 마지막으로, 기자는 보도되고 있는 주제를 포괄적으로 이해해야 한다. 기자가 이해할 수 없는 주제에 대해 효과적으로 보도하는 것은 불가능하지는 않더라도 어려운 일이다. 그리고 물론, 공정하고 정확한 태도를 취하는 것을 잊지 마라.
기자가 정보의 배출구로 어떤 출처를 사용하든지 간에 외부에 경쟁자가 많다는 사실을 기억하라. 그것은 괜찮다. 라디오, 텔레비전, 인쇄 매체, 인터넷 등 뉴스 시장끼리의 경쟁은 뉴스에 굶주려 있는 대중에게 이익을 안겨 준다. 건전한 경쟁은 뉴스 보도의 직무와 기술에 관계되는 모든 사람에게 향상을 강요한다.

| 문제 해설 |

1 이 글은 뉴스 기자에게 필요한 자질에 대해 설명하고 있으므로 ④가 글의 주제로 가장 적절하다.

2 unbiased는 '편견 없는, 공평한'이라는 뜻이므로 ③ impartial (공정한, 공평한)이 의미상 가장 가깝다.
① 유창한 ② 분할된 ④ 필수적인 ⑤ 주관적인

3 명사 way는 to부정사가 뒤에서 수식하는 구조이다. 따라서 ⓐ exchanging은 exchange가 되어야 한다.

4 지식의 팽창은 기자의 중요하고 필요한 자질인 호기심에서 비롯된다고 하였다.

| 직독 직해 |

- 기자는 가질 필요가 있다 / 끝없는 호기심을 / 세상에 대한
- 꾸미거나 또는 / 사실을 무시하는 것은 이다 / 작가의 자질 / 기자의 자질은 아니다
- 경쟁은 / 뉴스 시장끼리의 / 뉴스에 굶주려 있는 대중에게 이익을 준다

23 | The Instructions to Life p. 64

1 ② 2 ④ 3 ③
4 DNA가 단백질을 만들기 때문에, 유기체의 많은 DNA가 활발히 사용되지 않기 때문에

| 본문 해석 |

우리 모두는 서로 DNA의 99.9퍼센트를 공유한다. 어떻게 이것이 가능할까? 두 가지 기본적인 이유가 있다. 하나는, 모든 유기체는 동일 단백질의 많은 부분을 이용한다. 그리고 DNA는 단백질을 만들어냄으로 모든 유기체는 동일 유전자의 많은 부분을 갖는다. 두 번째로, 유기체의 DNA의 많은 부분은 활발하게 이용되지 않는다. 이런 휴면 유전자들은 아마도 우리의 진화로부터 남겨져 있다. 다시 말해, 하나의 다른 유기체를 만들어 내려면 DNA의 긴 분자 내 수백만 유전자의 작은 비율만 있으면 된다. 예를 들어, 인간 유전자는 침팬지와 98.8퍼센트 일치한다. 그러나 인간의 몇 안 되는 유전자가 인간을 이런 다른 유기체들과 아주 다르게 만드는 것이다.
인간 DNA에 관한 우리의 현재 지식은 '인간 게놈 계획'에서 온 것으로, 그것은 1990년에 형성되었다. 그것은 2003년에 인간 게놈 지도화를 끝냈다고 발표했다. 실제로, 그것은 인간 DNA 분자 전체를 지도화하지는 않았고, 가장 중요한 90퍼센트만을 지도화하였다. 그럼에도 불구하고, 이것은 우리 모두가 우리 DNA의 99.9퍼센트를 공유한다는 결론을 내리기에는 충분했다.
현재, 다른 많은 기관들이 다양한 유기체의 DNA를 지도화하고 있다. 예를 들어, 한 민간 생명 공학 회사가 2010년에 현대 인류가 네안데르탈인과 DNA의 99.7퍼센트를 공유한다고 보도했다. 약 5만에서 10만 년 전에 살았던 일부 시베리아와 일부 유럽의, 여러 네안데르탈인 유해의 유전자 배열 순서를 밝혀냈다. 그 작업으로 이전에 생각했던 것보다 현재 인류와 네안데르탈인 사이에 유전적 혼합이 더 많았다는 결론을 내렸다.

| 문제 해설 |

1 2010년에 현대 인류가 네안데르탈인과 DNA의 99.7퍼센트를 공유한다고 보도했다고 했으므로 ②가 일치하는 내용이다.

2 dormant는 '잠자는, 휴면 중인'이라는 뜻을 나타내므로 ④ resting(쉬고 있는, 휴면 중인)이 의미상 가장 가깝다.
① 사악한 ② 강건한 ③ 느슨한 ⑤ 이주하는

3 빈칸이 있는 문장은 네안데르탈인의 유전자 배열 순서를 밝혀냈다는 내용인데 이미 사라진 네안데르탈인의 '유해, 시체'에서 유전자의 정보를 얻었을 것이므로 빈칸은 ③ remains가 가장 적절하다.
① 파편, 잔해 ② 유산 ④ 입자 ⑤ 소유물

4 DNA가 단백질을 만들고 유기체의 많은 DNA가 활발히 사용되지 않기 때문에 모든 유기체는 많은 동일한 유전자를 갖는다고 하였다.

| 직독 직해 |

- 우리 모두는 공유한다 / 우리 DNA의 99.9%를 / 서로
- 그것은 발표했다 / 그것이 끝냈다고 / 인간 게놈 지도화를 / 2003년에
- 다른 많은 기관들이 / 지도화하고 있다 / 다양한 유기체의 DNA를

24 | Conifer Cones

p. 66

1 ⑤ 2 ④ 3 ③
4 바람, 곤충, 새

| 본문 해석 |

솔방울은 침엽수라 불리는 나무에 있는 기관으로 번식 구조를 포함하고 있다. 어떤 솔방울은 매우 약한 반면, 또 어떤 솔방울은 떨어져 나온 단단한 나무만큼이나 튼튼하고 견고하다. 이후의 모든 소나무의 미래는 수컷과 암컷 솔방울에 달려 있다. 사실 모든 소나무의 번식 잠재력은 솔방울에 있다. 수컷 솔방울은 꽃가루 입자를 만든다. 꽃가루는 바람, 곤충 또는 새에 의해 암컷 솔방울로 운반된다. 암컷 솔방울에는 많은 밑씨가 들어있고, 밑씨는 수컷 꽃가루에 의해 수정이 되고 나서 씨앗이 된다.
모든 솔방울은 껍질로 덮여 있다. 수분 작용이 일어나는 동안에 암컷 껍질이 열리면서 수컷 꽃가루를 받아들인다. 수분 작용이 끝나면 새로운 생명의 발달과 성장을 보호하기 위해 껍질이 닫힌다. '새끼'가 성숙해지면 씨가 솔방울을 벗어나서 생명을 시작할 수 있도록 껍질이 열린다. 침엽수의 종에 따라서 성숙 분열은 짧게는 6개월 길게는 24개월까지 걸릴 수 있다. 솔방울의 확산은 한창 번식이 되고 있다는 좋은 예이다. 수정을 마친 솔방울 하나가 나중에 수백 그루의 소나무가 된다고 생각해 보라.
수컷 솔방울과 암컷 솔방울을 구별하는 손쉬운 방법은 눈으로 보고 손으로 느껴보는 것이다. 암컷 솔방울은 수컷 솔방울보다 결이 더 거칠고, (나무같이) 딱딱하며 크기가 더 크다. 수컷 솔방울은 더 작고, 결과 모양이 풀같이 부드럽다.

| 문제 해설 |

1 이 글은 암수 솔방울 사이의 수분을 통해서 소나무가 번식하는 과정을 설명하고 있으므로 ⑤ '소나무의 번식 과정'이 주제로 가장 적절하다.

2 수분 작용이 끝나면 새로운 생명의 발달과 성장을 보호하기 위해 껍질이 닫힌다고 했으므로 ④가 일치하지 않는 내용이다.

3 빈칸은 바로 앞 문장의 내용인 '솔방울의 확산과 번식'에 대한 부연 설명이므로 '수정을 마친 솔방울 하나가 나중에 수백 그루의 소나무가 된다'는 ③의 내용이 가장 적절하다.
① 산이 솔방울들로 덮여 있을 것이다
② 우리는 전 세계의 산에서 솔방울들을 볼 수 있다
④ 소나무들은 오랜 시간 동안 건축 재료로 사용되어 왔다
⑤ 소나무는 생태계에서 가장 중요한 종들 가운데 하나이다

4 꽃가루는 바람, 곤충 또는 새에 의해 암컷 솔방울로 운반된다고 하였다.

| 직독 직해 |

- 번식 잠재력은 / 모든 소나무의 / 놓인다 / 솔방울에
- 밑씨는 씨앗이 된다 / 그것들이 수정된 후에 / 수컷 꽃가루에 의해
- 솔방울의 확산은 이다 / 좋은 예 / 한창 번식이 되고 있다는

Review Test (21~24)

p. 68

1 ② 2 ③ 3 myriad
4 fragile 5 molecule 6 ①
7 looked → look
8 All they → They all 또는 All of them
9 Pasteurization allows the milk and milk products to have a longer shelf life.
10 The pollen is carried either by wind, insects, or birds to the female pine cone.

| 문제 해설 |

1 opaque는 '불투명한'이라는 의미로 ② clear(투명한)가 반대말이 된다.
[황하는 진흙 강의 불투명한 물로 유명하다.]
① 흐르는 ③ 요동치는 ④ 깊은 ⑤ 오염된

2 objectivity는 '객관성'이라는 의미로 ③ subjectivity(주관성)가 반대말이 된다.
[뉴스 기사는 그 사건이 기술된 방식에 있어서 객관성이 부족하다.]
① 세부 사항 ② 주제 ④ 결론 ⑤ 창의성

[3~5]

| 보기 | 수많은 똑같은 지식 깨지기 쉬운 분자

3 그 마을은 수많은 쥐들로 몸살을 앓았다.

4 꽃병을 떨어뜨리지 않도록 조심해라. 그것은 매우 깨지기 쉽다.

5 하나의 물 분자는 하나의 수소와 두 개의 산소 원자로 구성된다.

6 ①의 if는 '비록 ~일지라도'의 양보의 뜻을 가지고 있다. 나머지는 모두 '만일 ~라면'의 조건의 의미로 쓰였다.
① 이 그림은 걸작이라고 할 순 없어도 수준이 있어 보인다.
② 가능하면 빨리 오도록 해라.
③ 필요하면 내가 직접 식사를 준비할게.
④ 너는 이번에 시험에 합격해야 한다. 그렇지 않으면 1년을 더 기다려야 한다.
⑤ 그 DVD 있나요? 있다면 어디에서 구할 수 있나요?

7 강조의 조동사 do 다음에는 항상 동사원형이 나온다.
[지나는 그날 정말로 사랑스러워 보였다.]

8 이 문장에서 all은 지시하는 대상 바로 뒤에 놓이거나 All of them의 형태로 쓰여야 한다.
[그들은 모두 호주로 여행을 갔다.]

Unit 07

25 | Overseeing a Match p. 70

1 ① 2 ④ 3 ④
4 선수가 부상을 당할 경우에

| 본문 해석 |

축구장에는 적어도 한 명의 심판이 필요하다. 심판들은 축구 경기가 순조롭고 안전하게 진행되도록 하는 것에 책임이 있다. 그들은 경기를 시작하고 멈출 때를 결정한다. 그들은 선수의 유니폼과 공, 그리고 경기장이 적절한 상태인지 확인한다. 그들은 반칙을 찾아내고 경기의 규칙을 시행한다. 그러나 축구장의 커다란 크기 때문에, 큰 대회들에는 심판들이 더 많이 있는 것이 도움이 된다.
중요한 축구 경기들은 1명의 주심과 사이드라인에 3명의 부심으로, 심판들이 4명까지 있을 수 있다. 주심은 경기장 안에 계속 있으면서 모든 최종 결정들을 내린다. 선수가 반칙을 범하면, 그들이 페널티를 결정한다. 때때로 그들은 옐로카드나 레드카드를 발행한다. 선수가 부상을 당하면, 그들은 시간을 멈춘다. 선수들, 코치나 팬들이 나쁜 행동을 하면 그들의 퇴장을 명령한다. 그 나쁜 행동이 계속되면, 그들은 경기를 중단시킬 수도 있다. 날씨가 너무 안 좋을 경우에도 같은 일이 있을 수 있다.
주심뿐 아니라, 사이드라인의 두 부심들도 오프사이드와 같은 파울들을 지켜보는 것을 돕는다. 공격수가 오프사이드이면, 그들은 휘슬을 불고 정확한 위치에서 깃발을 올린다. 네 번째 부심은 주심에게 선수 교체를 알리는 것을 돕는다. 시기적절한 선수 교체는 아슬아슬한 경기에서 중대한 것일 수 있다. 그들은 또한 인저리 타임(부상 등으로 인한 연장 시간)을 고려하여, 그 경기 중에 남은 시간을 보여주는 전광판을 들어올리기도 한다.

| 문제 해설 |

1 이 글은 축구 경기를 할 때 심판들의 역할에 대해 설명하고 있으므로 '축구 심판들의 임무'를 뜻하는 ①이 주제로 가장 적절하다.
② 축구선수들의 일반적인 반칙들 ③ 축구장의 모양과 형태 ④ 축구를 하기 위한 다양한 조건들 ⑤ 축구를 하는 데 있어 기본적인 규칙 익히기

2 심판들은 축구 경기의 규칙을 시행하는 역할을 하므로 (A)는 enforce(시행하다)가 적절하고, 또 심판들은 축구선수들이 반칙을 범했을 경우 페널티에 대한 표시로 옐로카드나 레드카드를 보여주므로 (B)는 issue(발행하다)가 적절한 표현이다. 따라서 ④가 정답이다.
① 통제하다, 금지하다 ② 시험하다, 기록하다 ③ 기대하다, 요구하다 ⑤ 실시하다, 구매하다

3 네 번째 부심은 주심에게 선수 교체를 알리는 것을 돕는다고 했으므로 ④가 일치하지 않는 내용이다.

4 심판은 선수가 부상을 당하면 시간을 멈춘다고 하였다.

| 직독 직해 |

- 심판들은 책임이 있다 / 축구 경기가 / 순조롭고 안전하게 진행되도록
- 주심은 머문다 / 경기장에 / 그리고 모든 최종 결정들을 내린다
- 시기적절한 선수 교체는 / 중대한 것일 수 있다 / 아슬아슬한 경기에서

26 | Cradle of Civilization p. 72

1 ⑤ 2 ⑤ 3 ④ 4 ④

| 본문 해석 |

고대 그리스 문화의 영향력은 어디에나 있다. 그것은 현대 민주주의의 모든 형태에서 볼 수 있다. 또한 현대 건물에 사용된 기둥과 아치에서 볼 수 있다. 그리고 우리들은 특히나 그리스에서 창시된 행사인 올림픽 경기를 즐겁게 관람할 때 그리스 문명을 감상한다. 다른 어떤 문명도 고대 그리스만큼 현대 서구 세계에 커다란 영향을 미치지는 못했다. 그런 이유로 많은 사람들이 그리스를 '현대 문명의 요람'으로 부르는 것이다.
권력의 정점에 있을 때의 그리스는 문명의 중심인 아테네와 더불어 수백 개의 도시 국가로 이뤄졌었다. 아리스토텔레스와 호머와 같은 위대한 사상가들은 새로운 아이디어와 아이디어를 교환하는 방법을 생각해냈다. 건축가들은 전에 봤던 그 어떤 것보다 더 화려하고 정교한 건물을 디자인했다. 아치와 기둥은 파르테논처럼 현재 유명한 건물의 중요한 디자인 요소이다. 파르테논은 그리스의 지혜의 여신인 아테네에게 바쳐진 사원이다. 기타 그리스 구조물은 아테네의 아크로폴리스에 세워졌고 그들 중 다수는 신과 중요한 전투 장면을 나타낸 조각으로 장식되었다. 하지만, 그리스 문화는 단지 그리스에 제한되지 않았다. 그것은 지중해를 따라 그리고 저 멀리 인도까지 잘 발달되어 있는 교역로 덕택에 전 세계로 신속하게 퍼져 나갔다. 심지어 기원전 150년에 로마인이 그리스인을 정복한 후에도, 로마인조차 그리스의 아이디어와 기술을 받아들였기 때문에 그리스 문화는 계속해서 퍼져 나갔다.

| 문제 해설 |

1 이 글은 고대 그리스 문화가 현대에 미치는 영향과 특징, 전파 과정을 설명하는 글이므로 ⑤ '고대 그리스 문화'가 주제로 가장 적절하다.

2 빈칸 뒤에 두 개의 절이 나란히 연결되어 있으므로 한 개의 절은 부사절이 되어야 한다. 따라서 ⑤ Even after가 가장 적절하다. '~조차도'를 뜻하는 even은 부사로 after를 수식할 수 있지만, 단독으로 부사절을 이끌 수는 없다.

3 ⓓ Another는 단수 가산명사만 수식할 수 있으므로, 복수형인 Greek structures를 수식하기 위해서는 other가 되어야 한다. 따라서 정답은 ④이다.

4 주어진 문장은 '하지만, 그리스 문화는 단지 그리스에 제한되지 않았다.'를 뜻한다. (D) 이후에 그리스 문화가 전 세계로 전파되는 내용이 이어지므로, (D)에 오는 것이 문맥상 자연스럽다.

| 직독 직해 |

- 그것은 또한 볼 수 있다 / 기둥과 아치에서 / 현대 건물에 사용된
- 위대한 사상가들은 / 생각해냈다 / 새로운 아이디어와 방법을 / 아이디어를 교환하는
- 그들 중 다수는 / 장식되었다 / 조각으로 / 신과 중요한 전투 장면의

27 | A Good Night's Rest p. 74

1 ①　2 ③　3 ④
4 우리의 근육과 관절을 회복시킨다.

| 본문 해석 |

수면은 우리 건강에 매우 중대한 것으로 그것을 주의 깊게 다뤄야만 한다. 수면 중에 무슨 일이 일어날까? 우리가 잠을 잘 때, 척추로부터의 유동체가 뇌 속으로 빠르게 펌프질 된다. 이것은 우리의 뇌세포들이 만드는 노폐물을 청소하는 식기 세척기 같은 역할을 한다. 그래서 깨어났을 때, 우리 뇌는 더 맑은 상태인 것이다. 우리의 심장과 폐도 우리가 잘 때 휴식할 수 있다. 그것들은 낮 동안 열심히 일해서 밤에 더 천천히 작동한다. 그리고 수면은 또한 성장 호르몬이 분비되고 이러한 호르몬들이 근육과 관절을 회복시키는 때이기도 하다. 따라서 수면은 실제로 우리 몸을 회복시키기 때문에 중요하다.
충분한 수면이 없으면, 우리의 정신과 육체적 건강에 해를 끼친다. 잠을 잘 자지 않으면 정신적으로 예리하지 못하다. 예를 들어, 졸린 운전자들은 반응 시간이 더 느리다. 말할 것도 없이, 이는 도로 위에 운전자와 다른 이들을 위험에 빠뜨린다. 극단적인 경우는 트럭 운전자들이 장거리를 운전하며 마이크로 수면(깨어 있을 때의 순간적인 잠)을 경험하는 때다. 그들은 한 번에 몇 초 동안 잠이 들어 그 자신들과 다른 이들을 위험에 빠뜨린다. 충분한 수면을 취하지 않는 것은 또한 우리 몸을 서서히 손상시킨다. 그것은 심장병과 뇌졸중, 그리고 당뇨의 위험을 증대시킨다. 또한 비만과 피부 노화의 원인이 되기도 한다. 이 모든 것은 우리의 행복을 위해 수면의 중요성을 분명히 보여준다.

| 문제 해설 |

1 이 글은 충분한 수면이 우리의 건강에 얼마나 중요한지에 대해 다양한 예시를 통해 이야기하고 있으므로 ① '충분한 수면의 중요성'이 주제로 가장 적절하다.
② 수면이 더 오래 사는 데 도움이 되는 이유 ③ 수면 장애를 위한 치료책 ④ 운전하기 전에 얼마나 오래 수면해야 하는지 ⑤ 수면하는 동안 세포의 생물학적 변화들

2 심장과 폐는 수면 중에 더 천천히 작동한다고 하였으므로 ③이 일치하지 않는 내용이다.

3 빈칸 (A)의 뒤 문장은 충분한 수면을 취하지 않을 경우에 정신적으로 예리하지 못한 예시에 해당하므로 (A)는 sharp(예리한)가 적절하다. 빈칸 (B)의 문장은 충분한 수면을 취하지 않을 경우에 우리 몸이 손상되는 질병의 위험성이 증가하는 예시에 해당하므로 (B)는 increases(증대시키다)가 적절하다. 따라서 ④가 정답이다.
① 고통스러운, 증가하다 ② 논리적인, 떨어뜨리다 ③ 피곤한, 발전시키다 ⑤ 불쾌한, 감소시키다

4 수면 중에 성장 호르몬이 분비되고 이 호르몬들이 근육과 관절을 회복시킨다고 하였다.

| 직독 직해 |

- 우리의 척추로부터 유동체가 / 빠르게 펌프질 된다 / 뇌 속으로
- 예를 들면 / 졸린 운전자들은 갖는다 / 더 느린 반응 시간을
- 이 모든 것은 분명히 보여준다 / 우리에게 / 수면의 중요성을 / 우리의 행복을 위해

28 | Nikpai's Dream p. 76

1 ③　2 ③　3 ②　4 ⑤

| 본문 해석 |

아프가니스탄의 카불에서 태어난 로훌라 니크파이는 험난한 어린 시절을 보냈다. 니크파이가 열 살 무렵이었을 때, 그의 가족은 나라의 정세가 너무나 불안해서 카불을 떠나 피난민 수용소에 갈 수밖에 없었다. 그곳에서 니크파이는 아프간 피난민 태권도 팀의 일원이 되었다. 태권도를 처음 배울 때부터 니크파이의 재능은 눈에 띄게 탁월했다. 모든 조건이 어려웠지만 니크파이는 2008년 베이징 올림픽을 겨냥해서 메달리스트가 되기 위해 매일 같이 훈련하면서 최선을 다했다. 아프가니스탄에는 여태껏 올림픽에서 메달을 딴 선수가 한 명도 없었다.
아프가니스탄의 니크파이와 세 명의 선수는 올림픽에 출전하기 위해 베이징에 갔다. 니크파이는 경기를 잘 치러서 동메달 결정전까지 진출했다. 그의 상대는 스페인 선수로 1997년과 2007년에 태권도 세계 챔피언이었던 후안 안토니오 라모스였다. 아프가니스탄 전역의 사람들이 니크파이의 경기를 보기 위해 텔레비전 주위로 모여들었다. 마치 고국으로부터 느껴진 조국의 자긍심을 발산하듯이 니크파이는 빠른 동작과 강력한 발차기로 라모스를 무찔렀다. 그는 동메달을 땄고, 아프가니스탄 역사상 최초로 올림픽 시상대에 오른 선수가 되었다.
아프가니스탄 국민들은 조국의 운동선수가 메달을 땄다는 소식에 열광했다. 올림픽 경기를 끝내고 귀국한 니크파이는 카불의 국립 경기장에서 찬사를 받았고, 이곳에 모인 5천 명의 국민들이 그를 환영했다.

| 문제 해설 |

1 이 글은 아프가니스탄의 첫 올림픽 메달리스트인 로훌라 니크파이에 대한 내용이므로 ③ '아프가니스탄의 첫 올림픽 메달리스트'가 제목으로 가장 적절하다.

2 unstable은 '불안정한'이라는 뜻이므로 ③ unsteady(불안정한)가 의미상 가장 가깝다.
① 강한 ② 섬세한 ④ 미끄러운 ⑤ 믿을 만한

3 니크파이가 올림픽에서 동메달을 딴 후 귀국했을 때 카불의 국립 경기장에 모인 5천 명의 국민들이 그를 환영했다는 내용으로 보아 ②가 유추할 수 있는 내용이다.

4 어려운 어린 시절을 극복하고 아프가니스탄 역사상 최초의 올림픽 메달을 딴 니크파이에 대한 속담으로 가장 적절한 것은 '하늘은 스스로 돕는 자를 돕는다.'를 뜻하는 ⑤ 'Heaven helps those who help themselves.'가 적절하다.
① 보는 것이 믿는 것이다. ② 잠자고 있는 개는 건드리지 말라. (긁어 부스럼 만들지 마라.) ③ 돌 하나로 새 두 마리를 죽여라. (일석이조) ④ 고통은 나누면 반으로 줄어든다.

| 직독 직해 |

- 그는 최선을 다했다 / 메달리스트가 되기 위해 / 매일 훈련하면서
- 니크파이는 이용했다 / 빠른 동작과 강력한 발차기를 / 라모스를 무찌르기 위해
- 그는 받았다 / 찬사를 / 카불의 국립 경기장에서

Review Test (25~28) p. 78

1 ①	2 ④	
3 substitution	4 ecstatic	5 obesity
6 ⑤	7 am going → go	
8 There → It		

9 The Parthenon is a temple dedicated to Athena, the Greek goddess of wisdom.

10 No one from Afghanistan had ever won an Olympic medal.

| 문제 해설 |

1 elaborate은 '세밀한'이라는 의미로 ① detailed(상세한)가 장 적절하다.
[그들은 자신들이 목격한 것을 매우 세세하게 설명했다.]
② 작은 ③ 정확한 ④ 현실적인 ⑤ 과장된

2 obvious는 '명백한'이라는 의미로 ④ clear(명백한)가 가장 적절하다.
[칼이 나에게 거짓말을 하는 것은 명백했다.]
① 의심스러운 ② 필요한 ③ 중요한 ⑤ 받아들일 수 없는

[3~5]

| 보기 | 열광하는 비만 찬사 교체 적절한

3 감독은 마지막 15분에 한 명의 선수를 교체했다.

4 밴드가 무대에 나타나자, 그들은 열광적인 박수로 환영을 받았다.

5 많은 사람들은 학교 자판기가 어린이 비만의 원인이라고 믿고 있다.

6 ①~④는 모두 최상급의 의미를 가진 표현으로 '잭이 가족 중에서 제일 나이가 어리다'라는 뜻을 가지고 있다. ⑤는 '잭이 가족 중 가장 어린 사람들 중 한 명'이라는 뜻이다.
① 잭은 가족 중 가장 나이가 어리다.
② 가족 중 아무도 잭보다 어리지 않다.
③ 가족 중 아무도 잭만큼 어리지 않다.
④ 잭은 가족 구성원의 그 누구보다도 더 어리다.
⑤ 잭은 가족 구성원 중 가장 어린 사람 중 한 명이다.

7 문장에서 very often으로 보아 평소에 일상적으로 하는 행동을 나타내는 문장이므로 단순 현재 시제가 적절하다.
[나는 자연을 사랑하고 자주 캠핑을 간다.]

8 that이 이끄는 명사절은 진주어이므로 진주어를 대체할 수 있는 가주어 It이 필요하다.
[약속을 지키는 것은 매우 중요하다.]

Unit 08

29 | The Human Diet p. 80

1 ⑤　2 ③　3 ②
4 동물 뼈, 석기 도구, 많은 식물 잔여물

| 본문 해석 |

전 세계 많은 사람들이 아침에 일어나 시리얼이나 곡물 한 그릇을 아침 식사로 먹는다. 하지만 우리가 쌀, 호밀, 밀, 옥수수 같은 곡물을 먹은 지는 얼마나 되었을까? 연구 저널인 〈사이언스〉지에 따르면 사람들은 10만 년 넘게 곡물을 먹어 왔다고 한다. 캐나다에 소재한 캘거리 대학의 고고학자인 줄리오 머케이더는 "선사 시대 수렵인과 채집인의 야생 곡물의 소비는 이전에 생각했던 것보다 훨씬 오래된 것으로 보인다."고 말했다. 머케이더와 그의 고고학자 팀은 10만 년 훨씬 이전에 아프리카에서의 곡물 소비의 증거를 발견했다. 그들은 모잠비크에 있는 니아사 호수 근처의 석회암 동굴 깊숙이 들어갔다. 이 길고 버려진 동굴에서 그들은 10만 년 전으로 추정된 동물 뼈, 석기 도구, 그리고 많은 식물 잔여물을 발견했다. 그들이 발견한 유물은 그곳에 살았던 초기 인류가 무엇을 먹었는지 알게 해준다.
머케이더와 그의 동료들은 이 발견이 매우 중요하다고 생각한다. 머케이더는 "우리의 식생활에서 곡물의 유입은 인간 진화에 중요한 단계로 여겨지는데, 이는 곡물을 주식(主食)으로 변화시키는 데 복잡한 기술이 필요하기 때문이다."라고 말한다. 만약 이 연구가 정확하다면, 초기 인류가 예전에 믿었던 것보다 훨씬 더 일찍 매우 세련된 식생활을 영위했다는 증거이다. 다음에 여러분이 앉아서 아침 식사용 시리얼 상자를 열거나 쌀밥을 먹을 때 이 점을 생각해 보라. 정말 역사가 오랜 식량이다.

| 문제 해설 |

1 이 글은 머케이더와 그의 고고학자 팀이 인류가 10만 년 훨씬 이전부터 곡물 소비를 했다는 증거를 발견한 내용이 핵심이다. 따라서 ⑤ '곡물 소비의 역사적 발견'이 주제로 적절하다.
2 〈사이언스〉지와 머케이더 고고학 팀에 따르면 인류가 곡물을 먹어온 기간이 10만 년을 넘는다고 했으므로 ③이 일치하지 않는 내용이다.
3 accurate는 '정확한'을 뜻하므로 ② correct가 의미상 가장 가깝다.
① 막연한 ③ 의심스러운 ④ 잘못된 ⑤ 공허한
4 밑줄 친 The things는 머케이더와 그의 고고학자 팀이 발견한 것들을 나타내는데, 앞 문장의 '동물 뼈, 석기 도구, 많은 식물 잔여물'을 가리킨다.

| 직독 직해 |

- 많은 사람들이 먹는다 / 시리얼이나 곡물 한 그릇을 / 아침 식사로
- 그들은 깊숙이 들어갔다 / 석회암 동굴로 / 니아사 호수 근처의
- 그들은 생각한다 / 이 발견을 / 매우 중요한 것으로

30 | Far from the Big City p. 82

1 ③　2 ②　3 ③　4 ④

| 본문 해석 |

크로아티아에서 휴가를 보냈던 고대 로마인들을 시작으로, 크로아티아는 관광 산업에 긴 역사를 가져왔다. 그 작은 나라는 이탈리아 바로 맞은편에 자리해 있다. 오늘날 비행기로 오는 관광객들에게, 수도 자그레브는 예술과 건축, 박물관과 레스토랑을 위한 출발점이 될 수 있다. 그러나, 많은 관광객들은 그 나라에 다른 두 명소인 두브로브니크와 플리트비체 호수로 모여든다.
두브로브니크는 '아드리아 해의 진주'로 묘사되어 왔다. 그곳은 올드 타운의 거리들에서 보이는 환상적인 바다 경관을 갖고 있다. 그곳에서 사람들은 카페에 앉아 오후에 커피를 홀짝거리며 마실 수 있다. 도시 성벽을 배회하고 유적지들을 구경하며 나날을 보내기 쉽다. 그러나 여름 관광 시즌에는 붐빌 수 있으니 주의해야 한다. 일부 호텔들은 자체의 전용 해변들이 있는 반면 반예(비치)와 같은 공공 해변들도 있다. 그리고 7월부터 8월까지의 두브로브니크 여름 축제는 클래식 음악 콘서트, 발레 공연 그리고 전 세계의 예술가들에 의한 연극 공연들을 특징으로 한다.
순수한 자연의 경이로움에 있어, 플리트비체 호수를 능가하기란 어렵다. 그곳에 닿기까지 이동하는 시간이 좀 걸리기는 하지만 자연 애호가들은 결코 실망하지 않는다. 열여섯 개의 폭포들뿐만 아니라 수많은 동굴들 그리고 사슴과 곰, 늑대와 여러 종의 새들이 있는 숲들이 있다. 일 년 내내 개방된 국립공원들에 하이킹이나 자전거 타기를 즐길 수 있는 많은 오솔길과 산책길이 있다.

| 문제 해설 |

1 이 글은 크로아티아의 두 명소인 두브로브니크와 플리트비체 호수에 대해 각각 소개하고 있으므로 ③이 글의 목적으로 가장 적절하다.
2 빈칸이 있는 문장은 두브로브니크의 여름 축제의 특징들을 나타내고 있으므로 빈칸은 ② features(~의 특징을 이루다)가 가장 적절하다.
① 기부하다 ③ 거부하다 ④ 예측하다 ⑤ 탐지하다
3 두브로브니크가 별명으로 '아드리아 해의 진주'라고 묘사된다는 내용은 있지만 그곳에서 진주가 많이 난다는 내용은 언급되지 않았다. 따라서 ③이 일치하지 않는 내용이다.
4 beat는 '능가하다'라는 뜻이므로 ④ exceed(능가하다, 초과하다)가 의미상 가장 가깝다.
① 분석하다 ② 노출하다 ③ 숭배하다 ⑤ 버리다

| 직독 직해 |

- 많은 관광객들은 모인다 / 두 곳의 다른 명소로 / 그 나라의
- 쉽다 / 나날을 보내기가 / 도시 성벽을 배회하고 / 유적지들을 구경하며
- 있다 / 열여섯 개의 폭포들이 / 수많은 동굴들과 숲들뿐만 아니라

31 | Culture of Bravery p. 84

1 ⑤ 2 ④ 3 ③ 4 ③

| 본문 해석 |

뉴질랜드의 마오리 족은 탁월한 용맹함으로 유명하다. 한 가지 분명한 예로써, 마오리 족의 소년들은 성인이 되기 위해 거쳐야 하는 통과 의례로 번지점프를 해야 했다. 그들이 제정신이 아니었을까? 그렇지 않다. 그 의식은 마오리 족에게는 중요한 문화적 특징이었다. 모든 소년들은 십 대가 되면 용기에 대한 시험으로 엉성한 보호 장치만 발목에 동여매고 산에서 몸을 던져서 성인기로 뛰어들어야 했다. 땅에 더 가까이 번지점프를 할수록, 자신의 용기가 더 분명하게 입증되었다. 번지점프는 마오리 족의 용맹스러운 위업 중 하나에 불과했고 죽음도 불사하는 보트타기도 포함되었다. 이렇게 등골 오싹한 활동을 추구하는 이유는 단순히 아드레날린을 촉진시키기 위해서가 아니었다. 그것은 일종의 문화적 치료였다.

마오리 족의 이런 관례에서 많은 것을 배울 수 있다. 스스로 할 수 없을 거라고 느끼는 행동을 해내는 것은 우리의 한계의 장벽을 돌파하게 해준다. 여러분이 밖에 나가 그동안 하기 두려웠던 일을 매일 해낸다고 상상해 보라. 여러분은 곧 훨씬 더 자신감을 얻고 더욱 강한 사람이 될 것이다. 마오리 족처럼 자신이 조금 하기 두렵거나 자신의 능력을 약간 넘어서는 일을 찾고, 마음속 의심을 떨쳐내고 자신을 밀어 붙여 보아라. 위험한 일을 할 필요는 없다. 그저 도전해 볼 만하다고 생각하는 일을 해 보아라.

| 문제 해설 |

1 마오리 족에게 번지점프보다 보트 타기가 더 용감한 행위였다는 언급은 없으므로 ⑤가 일치하지 않는 내용이다.

2 flimsy는 '엉성한, 약한'이라는 뜻이므로 ④ fragile(약한, 부서지기 쉬운)이 의미상 가장 가깝다.
① 충분한 ② 객관적인 ③ 기술적인 ⑤ 단단한

3 마오리 족 소년들은 용기를 시험하기 위해 번지점프를 해야 한다고 했으므로 산에서 번지점프를 했을 때 땅에 더 가까이 가면 갈수록, 더 용기가 있는 것으로 인정받았을 것이다. 따라서 빈칸 (A)에는 the closer(더 가까이), (B)에는 the more(더욱 더)가 오는 것이 가장 적절하다.
① 더 멀리, 더욱 더 ② 더 강하게, 더 적게 ④ 더 나쁘게, 더 적게 ⑤ 더 약하게, 더욱 더

4 필자는 두 번째 문단에서 마오리 족의 관례처럼 자신의 능력을 넘어서는 한계에 도전하라고 주장하고 있으므로 ③이 정답이다.

| 직독 직해 |

- 마오리 족의 소년들은 번지점프를 해야 했다 / 통과 의례로 / 성인으로 가는
- 그 의식은 이었다 / 중요한 문화적 특징 / 마오리 족에게는
- 번지점프는 이었다 / 단지 하나 / 마오리 족의 여러 용맹스러운 위업 가운데

32 | Snow at the Equator p. 86

1 ④ 2 ⑤ 3 ⑤ 4 ④

| 본문 해석 |

킬리만자로 산은 아프리카에서 가장 높은 산이다. 그곳은 또한 세계에서 단독으로 서 있는 가장 높은 산이다. 활동을 멈춘 화산이 해수면 위로 6,000미터 가까이 솟아 있다. 탄자니아에 위치한 그곳은 거의 정확히 적도상에 있다. 열대 지방에 위치해 있기는 하지만, 산의 정상은 일 년 내내 눈과 얼음으로 덮여 있다. 그곳은 계절에 많은 변화가 없다. 대신, 그곳에는 한 번의 건기와 두 번의 우기가 있다.

그 산의 경사면들에는 작물을 재배할 화산 토양이 있다. 남쪽 경사면에는, 바나나와 콩, 기장을 재배하고 심지어 소를 사육하는 들판이 있다. 조금 더 높은 곳에서 사람들은 커피를 재배한다. 이 작물들을 위한 물은 숲 속에 모여서 작은 강들을 만드는 빗물로부터 오는 것이다. 더 건조한 북쪽 경사면에는, 올리브 나무들과 향나무 숲들이 있다. 코끼리와 들소, 그리고 혹멧돼지 같은 커다란 동물들도 찾아볼 수 있다.

정상은 어떤 식물이나 나무가 자라기에는 너무 높다. 그곳은 아주 높아서 우기 중에도 그곳에는 눈이 올 수 있다. 실제로, 그곳의 많은 부분을 덮고 있는 영구 빙하가 있다. 그곳은 1880년대에 빙하로 완전히 뒤덮였다. 그때 이후로 오늘날 이것들은 약 85퍼센트가 녹아 내렸다. 그 추세가 계속된다면, 킬리만자로 정상에는 2060년이면 빙하가 없게 될 것이다. 그러나 이런 일이 일어난다 해도, 강우는 그 지역의 강들에 (물) 공급을 계속할 것이다.

| 문제 해설 |

1 이 글은 킬리만자로 산의 다양한 특징들을 설명하고 있는데 ④ the mythology(신화)에 대한 언급은 없다.
① 기후 ② 높이 ③ 위치 ⑤ 식물

2 crops는 '농작물'이라는 뜻이므로 ⑤ produce(농산물, 수확물)가 의미상 가장 가깝다.
① 생물 조직 ② 자원 ③ 천체, 구 ④ 쓰레기

3 커피는 바나나와 콩, 기장을 재배하는 곳보다 더 높은 곳에서 재배한다고 했으므로 ⑤가 일치하는 내용이다.

4 주어진 문장은 '오늘날 이것들은 그때 이후로 약 85퍼센트가 녹아 내렸다.'라는 뜻인데, these(이것들)가 가리키는 것은 (D) 앞 문장의 glaciers(빙하)를 뜻하며 빙하가 녹아내릴 경우에 대한 결과를 예상하는 내용이 (D) 바로 뒤에 이어진다. 따라서 주어진 문장은 (D)에 오는 것이 가장 적절하다.

| 직독 직해 |

- 그 산의 경사면들은 가지고 있다 / 화산 토양을 / 작물을 재배할
- 정상은 너무 높다 / 어떤 식물이나 나무가 / 자라기에는
- 이런 일이 일어난다 해도 / 강우는 계속할 것이다 / 그 지역의 강들에 (물) 공급을

Review Test (29~32)

p. 88

1 ⑤ 2 ④
3 vacationed 4 extinct
5 numerous 6 ⑤
7 two bottles of waters → two bottles of water
8 will prepared → will be prepared
9 People have been eating cereal for more than 100,000 years.
10 The Maori people of New Zealand are well-known for their extraordinary bravery.

| 문제 해설 |

1 complexity는 '복잡성'이라는 의미로 ⑤ simplicity(단순성)가 반대말이 된다.
[이 다이어그램은 의사 결정 과정의 복잡성을 보여 준다.]
① 전문 ② 능력 ③ 가능성 ④ 신뢰성

2 adulthood는 '성인, 성인의 상태'라는 의미로 ④ minority(미성년)가 반대말이 된다.
[공교육은 어린이가 어른이 될 수 있도록 대비시켜 줘야 한다.]
① 경력 ② 경제 ③ 사교성 ⑤ 독립성

[3~5]

| 보기 | 수많은 휴가를 보냈다 활동을 멈춘 발전했다 혼잡한

3 우리 가족은 지난여름에 이탈리아에서 휴가를 보냈다.
4 한라산은 활동을 멈춘 화산(사화산)이다.
5 마크는 사교적인 사람이고 친구들이 많다.
6 [be sure to부정사]는 '(앞으로) 반드시 ~하다'는 의미이고 [be sure of (동)명사]는 '~를 확신하다'라는 의미이다. ⑤는 자신의 답이 정답임을 확신한다는 의미가 되어야 하므로 of being이 들어간다. 나머지는 모두 to be가 들어가야 한다.
① 네가 그녀가 공연하는 것을 보면 틀림없이 감동할 것이다.
② 6시에 꼭 거기에 갈게.
③ 그의 새 영화는 또 다른 걸작이 될 것이 틀림없다.
④ 그것은 분명 재미있는 게임이 될 것이다.
⑤ 나는 그 퀴즈 문제에 대해 대답을 했을 때 정답임을 확신했다.
7 불가산명사는 직접 복수형을 쓰는 게 아니라 일정한 단위 명사를 이용해서 복수형을 나타낼 수 있다. 따라서 two bottles of water가 되어야 한다.
[나는 배낭에 두 개의 물병을 넣었다.]
8 will 다음에는 반드시 동사원형이 나와야 하는데 주어(The meals)는 준비되는 대상이므로 수동태형이 되어야 한다. 따라서 will be prepared의 형태로 고쳐야 한다.
[식사는 5시까지 준비될 것이다.]

Unit 09

33 | Temples in the Forest

p. 90

1 ④ 2 ③ 3 ① 4 ③

| 본문 해석 |

세계 최고의 불교 사원들이 집합한 곳은 방문객들이 거의 없는 장소에 위치해 있다. 그곳에는 관광 여행이 엄격히 통제되기 때문에, 그곳을 아는 사람들이 많지 않다. 그러나 그곳은 캄보디아의 유명한 앙코르 유적지에 견줄 만한 곳으로 여겨진다. 그곳은 한때 미얀마의 바간 왕국의 수도였던 고대 도시인 바간이다. 이 왕국은 1057년부터 1287년까지 지속되었고 최초로 이라와디 강 계곡을 다스렸다.
바간에는 한때 13,000개가 넘는 불교 사원들과 다른 종교 건축물들이 있었다. 그곳의 왕들은 사원을 짓는 것이 종교적 가치를 얻는 일이라고 생각했다. 그 사원들은 벽화, 조각상 그리고 불상들을 특징으로 했다. 마르코 폴로는 바간을 종소리와 승복들로 가득한 황금 도시라고 불렀다. 몽골의 침입은 그 도시에 이르지 못했지만, 그 왕국을 종식시키고 그 도시를 버려진 채로 남겨두었다. 오늘날 약 2,230개의 건축물만이 남아 있으며, 또 다른 2,000개 정도가 폐허 속에 있다.
바간의 아난다 사원은 가장 유명한 사원들 중 하나이다. 그곳은 서기 1105년경에 지어졌다. 그곳은 오늘날 여전히 운영되는 단 네 개의 사원들 중 하나이다. 평면도는 십자가 모양이고 동서남북을 향하는 네 개의 불상이 있다. 그곳의 일주일간의 연례 축제에서는 천 명의 수도승들이 72시간 연속으로 불경을 외운다. 또 다른 주목할 만한 명소는 쉐산도 사원으로, 관광객들이 일몰의 경관을 보기 위해 그곳에 오르는 것을 좋아하기 때문에 '일몰' 사원이라고도 알려져 있다.

| 문제 해설 |

1 이 글은 미얀마의 바간 왕국의 수도였던 바간과 그곳의 사원들에 대해 이야기하고 있으므로 제목은 '알려지지 않은 바간과 그곳의 사원들'을 뜻하는 ④가 가장 적절하다.
① 바간의 건축 특징들 ② 바간의 과거와 현재 그리고 미래 ③ 바간 사원들의 미스터리 ⑤ 바간의 종교를 이해하는 방법
2 몽골의 침입은 바간에 이르지 못했다고 하였고, 왕국은 종식시켰지만 바간을 버려진 채로 남겨두었다고 하였으므로 ③이 일치하지 않는 내용이다.
3 chant는 '~을 되풀이해서 이야기하다, 외다'라는 뜻이므로 ① recite(암송하다)가 의미상 가장 가깝다.
② 예언하다 ③ 고백하다 ④ 표출하다 ⑤ 발표하다
4 바간에는 한때 13,000개가 넘는 불교 사원들과 다른 종교 건축물들이 있었다는 내용으로 보아 불교 이외의 다른 종교들이 존재했다는 것을 유추할 수 있다. 따라서 ③이 정답이다.

| 직독 직해 |

- 많은 사람들이 알지 못한다 / 그곳에 대해 / 그곳에서의 관광 여행이 / 엄격히 통제되기 때문에
- 그곳의 왕들은 생각했다 / 사원을 짓는 것이 얻을 것이라고 / 종교적 가치를
- 그곳은 이다 / 단지 네 개의 사원들 중 한 곳 / 오늘날 여전히 운영되는

34 | All Aboard

p. 92

1 ① 2 ② 3 ③ 4 ③

| 본문 해석 |

기차 여행을 좋아하는 사람은 누구나 장거리 여객 열차인 대단히 유명한 오리엔트 특급을 좋아할 것이다. 노선이 여러 번 바뀌기는 했지만, 그 열차는 매력적이고 호화로운 여행으로 알려져 있다. 오리엔트 특급의 원래 노선은 1883년까지 거슬러 올라간다. 당시에 기차는 10월 화창한 아침에 파리 동역을 출발했다. 기차는 뮌헨과 비엔나를 경유해서 루마니아의 도시인 지우르지우로 향했다.
기차 자체는 그야말로 기가 막히다. 기차 안에서의 서비스와 호화로운 환경은 유럽 최상의 초특급 호텔을 훨씬 능가한다. 유럽의 고상한 경치를 굽이굽이 지나가고 유럽 대륙의 가장 매혹적인 몇몇 도시 사이를 오가는 호화로운 기차 여행에는 낭만과 모험이 긴밀하게 결합되어 있다. 각 객실은 완전히 사적이다. 이는 옆 객실의 승객이 누군지 알 수 없어서 여행에 신비감을 더해준다. 식당 칸에서는 최고의 요리만이 제공된다. 물론 비밀 승객으로 남고 싶다면 식사는 자신의 객실로 직접 배달될 수 있다.
오리엔트 특급은 많은 소설과 영화의 배경으로 사용되어 왔다. 그것들 중에서 아가사 크리스티의 탐정 소설인 '오리엔트 특급 살인 사건'은 우리에게 가장 잘 알려져 있다. 기차에서 아름다운 경치에 감탄하며 멋진 시간을 보내고 싶다면, 오리엔트 특급을 잊지 마라.

| 문제 해설 |

1 이 글은 오리엔트 특급의 여러 특징에 대해 이야기하고 있는데 ① '오리엔트 특급의 크기'는 언급하지 않았다.
2 outdo는 '~을 능가하다'라는 뜻이므로 ② excel(능가하다)이 의미상 가장 가깝다.
① 공유하다 ③ 처벌하다 ④ 설립하다 ⑤ 홍보하다
3 오리엔트 특급은 많은 소설과 영화의 배경으로 사용되어 왔다라고 했으므로 ③이 일치하는 내용이다.
4 빈칸 뒤의 내용은 각 객실의 승객은 옆 객실에 누가 있는지 알 수 없다고 했고 비밀 승객이 되고 싶다면 식사도 객실로 배달받을 수 있다고 했으므로 빈칸은 ③ totally private(완전히 사적인)가 가장 적절하다.
① 매우 친절한 ② 항상 비어 있는 ④ 꽤 넓은 ⑤ 사교 모임

| 직독 직해 |

- 원래 노선은 / 오리엔트 특급의 / 거슬러 올라간다 / 1883년까지
- 여러분의 식사는 배달될 수 있다 / 직접 / 여러분의 객실로
- 오리엔트 특급은 사용되어 왔다 / 배경으로 / 많은 소설과 영화에서

35 | Theories about Dreams

p. 94

1 ① 2 ⑤ 3 ⑤
4 Because the study of dreams is secondhand.

| 본문 해석 |

인류가 지구상에 걸어 다니기 시작한 이후로 꿈은 우리에게 수수께끼였고, 우리는 꿈을 이해하기 위해 노력해 왔다. 많은 고대 사회에서 꿈을 꾸는 것은 초자연적인 의사소통이나 신이 (인간의 삶에) 간섭하는 수단으로 여겨졌으며, 꿈이 전달하는 메시지는 어떤 힘을 가진 사람에 의해 해석될 수 있었다.
현대 시대에서는 심리학의 다양한 학파들이 꿈의 의미에 대한 이론들을 주장해 왔다. (C) 두뇌의 역학을 연구하는 일부 학파는 꿈이 무의미하다고 믿는다. (B) 꿈은 우리의 일상생활과 감정적인 특징과는 아무런 관계가 없는 무작위의 사건에 불과하다고 생각된다. (A) 다시 말하자면, 꿈을 꾸는 것은 두뇌가 무의식적으로 기능하는 것이기 때문에 아무도 꿈의 중요성을 크게 믿어서는 안 된다. 또 다른 학파는 꿈을 꾸는 것이 경험이나 감정을 단지 다른 형태로 다시 겪는 방식이라고 믿는다. 이는 우리가 깨어 있는 동안 경험한 스트레스를 유발하거나 충격적인 사건이 꿈속에서 다른 상황으로 바뀌어 반복될지도 모른다는 뜻이다.
과학자들이 꿈의 중요성을 발견하지 못하고 있는 명백한 이유는 꿈에 대한 연구가 간접적이기 때문이다. 꿈에 대한 연구는 모두 이론이다. 연구가 과학자들이 스스로 수집하는 관찰 자료에 기초해서 이뤄질 수 없기 때문이다. 한 개인의 꿈 이미지를 포착할 수 있는 방법이 없고, 꿈을 꾸고 있는 상태에서 일어나는 감정적 영향력이나 관련성의 정도 또한 측정할 수 없다.

| 문제 해설 |

1 고대 사회에서 꿈은 어떤 힘을 가진 사람에 의해 해석될 수 있었다고 했으므로 ①이 일치하지 않는 내용이다.
2 심리학의 다양한 학파들 중 꿈이 무의미하다고 믿는 학파를 소개하는 (C)가 나오고, 그 학파가 주장하는 꿈의 이론을 설명하는 (B)가 이어지고, In other words(다시 말하자면)로 시작하여 (B)의 내용을 부연하는 (A)가 오면 글의 흐름이 자연스럽다. 따라서 정답은 ⑤ (C) – (B) – (A)이다.
3 빈칸은 문맥상 뒤의 문장 we are awake를 이끄는 접속사 while(~하는 동안)이 오는 것이 가장 적절하다. 빈칸 앞은 동사 experience이므로, 빈칸은 관계대명사가 적절하지 않다.

4 과학자들이 꿈에 대해 밝히지 못하는 이유는 '꿈에 대한 연구가 간접적이기 때문이다'라고 했으므로 정답은 Because the study of dreams is secondhand.이다.

| 직독 직해 |

- 다시 말하자면 / 꿈을 꾸는 것은 무엇이다 / 두뇌가 기능하는 / 무의식적으로
- 꿈을 꾸는 것은 이다 / 방식 / 우리가 / 경험이나 감정을 다시 겪는
- 방법이 없다 / 포착할 / 한 개인의 꿈 이미지를

36 | Dream Came True
p. 96

1 ① 2 ④ 3 ④ 4 ③

| 본문 해석 |

일본의 준코 타베이는 에베레스트 산의 정상에 도달한 최초의 여성이 되면서 1975년에 매우 대단한 위업을 이루었다. 그때까지는 남성 등반가만이 에베레스트 산의 정상 등반에 성공했다. 정상까지의 여정은 들리는 만큼 힘들었다. 여정을 떠난 지 며칠 만에 산사태가 나서 그녀는 산 채로 묻혔다. 그녀는 가까스로 탈출할 수 있었지만, 몸은 멍투성이였다. 상처를 입고 고통에 시달렸지만, 그녀는 자신과 팀을 정상까지 이끌었다.
에베레스트 산을 정복하겠다는 준코의 꿈은 1975년보다 수년 전에 시작되었다. 실제로 그녀의 꿈이 구체화된 것은 그녀가 겨우 열 살 때였다. 준코의 첫 주요 업적은 한 일본 신문사가 에베레스트 산에 등반할 여성만으로 구성된 등반 팀을 네팔에 파견하기로 결정했을 때였다. 준코는 수백 명의 지원자 가운데 선정된 열다섯 명 중 한 명이었다. 준코와 여성들은 훈련을 하고 에베레스트 산을 정복하기 위해 카트만두로 향했다.
준코는 에베레스트 산의 정상에 오른 이후, 더 많은 성취를 이룩하기 위해 항상 분투하며 산악 등반을 계속했다. 그녀는 각 대륙의 최고봉인 7 대륙 최고봉에 오르는 최초의 여성이 되었다. 준코는 허약한 아이라는 소리를 들었지만, 신체적인 약점이 자신을 제한할 수 있다는 생각을 뛰어넘기 위해 어린 나이에 겁 없이 산악 등반을 시작했다. 준코는 자신의 신체를 단계적으로 강화시킴으로써 인내에 의한 위대한 업적을 달성했다. 그녀의 이야기는 자신의 두려움을 극복하고 이로써 자신의 약점을 강점으로 바꾸는 데 따른 이로움을 보여 준다.

| 문제 해설 |

1 이 글은 역경과 어려움을 극복하고 에베레스트 산의 정상과 7 대륙 최고봉에 오른 최초의 여성인 등반가 준코 타베이에 대한 내용이다. 따라서 '두려움 없는 산악인'을 뜻하는 ①이 제목으로 가장 적절하다.
2 준코는 여성이면서 어렸을 때 허약한 아이라는 소리를 들었었지만, 그런 것이 그녀를 제약할 수 있다는 생각을 뛰어넘기 위해 어린 나이에 겁 없이 산악 등반을 시작했다고 볼 수 있으므로 빈칸은 '신체적인 약점'을 뜻하는 ④ physical weakness가 가장 적절하다.
① 체력 ② 재정적 문제 ③ 이전의 경험 ⑤ 감정적 미성숙
3 힘든 상황을 극복하고 산악 등반의 위대한 업적을 이룬 준코 타베이를 통해 독자들은 용기를 얻을 수 있다. 따라서 '고무적인'을 뜻하는 ④ inspiring이 이 글의 분위기로 가장 적절하다.
① 재미있는 ② 축하하는 ③ 차분한 ⑤ 비극적인
4 주어진 문장은 '준코와 여성들은 훈련을 하고 에베레스트 산을 정복하기 위해 카트만두로 향했다.'를 뜻하므로, 준코가 에베레스트 산에 등반할 여성만으로 구성된 등반 팀에 선정되고 네팔에 파견되기로 결정되었다는 내용 뒤인 (C)에 오는 것이 가장 적절하다.

| 직독 직해 |

- 남성 등반가만이 / 성공했다 / 정상 등반에
- 그녀는 이었다 / 겨우 열 살 때 / 꿈이 구체화되었을 때
- 준코는 겁 없이 / 산악 등반을 시작했다 / 어린 나이에

Review Test (33~36)
p. 98

1 ②	2 ③	3 divine
4 achieved	5 merit	6 ④
7 that → those	8 for → as	

9 They are thought to be nothing more than random events.
10 She was buried alive by an avalanche.

| 문제 해설 |

1 comparable은 '비슷한'이라는 의미로 ② similar(비슷한)가 가장 적절하다.
[두 자동차는 성능 면에서 비슷하다.]
① 귀중한 ③ 형편없는 ④ 다른 ⑤ 우월한
2 surroundings는 '환경'이라는 의미로 ③ environment(환경)가 가장 적절하다.
[우리는 막 이사 와서 새로운 환경에 익숙해지려면 시간이 좀 필요하다.]
① 관습 ② 법 ④ 학교 ⑤ 사람들

[3~5]

| 보기 | 정점 이뤘다 장점 신성한 포기했다

3 고대 사회의 많은 정치 지도자들은 신성하다고 여겨졌다.
4 그의 다이어트 계획은 성공적이었다. 그는 30kg 감량 목표를 이뤘다.
5 이 계획의 한 가지 장점은 실행하기 매우 쉽다는 것이다.

6 ④의 with는 부대상황(~한 채로)을 나타내는 전치사인 반면, 나머지는 도구(~를 가지고)를 나타내는 전치사이다.
① 그는 열쇠로 캐비닛을 열었다.
② 소스는 토마토와 우유로 만든다.
③ 그녀는 톱으로 나무 조각을 잘랐다.
④ 그는 입을 크게 벌리고 코를 골았다.
⑤ 나는 연필로 그녀의 전화번호를 적었다.

7 '~한 사람들'이라는 뜻으로 [those who ~]를 쓴다. who가 이끄는 형용사절이 those를 꾸며주는 형태로 쓰인다.
[질문이 있으신 분들은 555-6443번으로 저희에게 전화 주십시오.]

8 the Father of India는 자격을 나타내므로 자격을 나타내는 전치사 as가 적절하다. for는 이유를 나타내는 전치사이므로 이 뒤에는 유명하게 만든 업적이나 특징을 나타내는 말이 나와야 한다.
[마하트마 간디는 '인도의 아버지'로 알려져 있다.]

Unit 10

37 | Quick and Easy

p. 100

1 ⑤ 2 ② 3 ④
4 부모와 소비자들에게 패스트푸드의 문제점에 대해 교육하는 것

| 본문 해석 |

오늘날, 밖을 걸어 다니면 어김없이 맥도널드나 버거킹, KFC, 기타 다른 패스트푸드점을 보게 된다. 수백 개에 달하는 패스트푸드점이 전 세계에서 매일 새롭게 문을 연다. 그리고 '수지가 맞는' 사업이다.
최초의 패스트푸드 판매대가 모습을 드러낸 것은 고대 로마였다. 로마인들은 빨리 준비된 음식을 즐겼고, 음식은 주로 빵과 와인으로 이뤄졌다. 아시아에서 고대 패스트푸드는 국수 판매대에서 제공되었다. 중동에서 거리 음식은 콩과 양념을 혼합한 팔라펠이었다. 그리고 인도에서는 수백 년 동안 도보 여행자들이 감자 팬케이크를 만들어서 먹었다. 일반적으로 이런 고대 패스트푸드 판매대는 건강에 좋게 자기가 사는 지역의 간편한 음식을 준비했다. 그러나 이런 날들은 끝났다.
오늘날의 거대 기업은 심장병과 기타 많은 질병과 직접적인 관계가 있는 고칼로리, 고지방, 지나치게 가공된 식품을 제공하고 있다. 오늘날 국가들은 패스트푸드에 대항하는 전쟁을 벌이고 있다. 말레이시아 정부는 어린이용 텔레비전 프로그램이 방영되는 시간에 패스트푸드 광고를 금지시켰다. 미국의 캘리포니아 주 로스앤젤레스의 한 지역은 일정 기간 동안 패스트푸드 체인점이 더 이상 들어서지 못하도록 금지시켰다. 로스앤젤레스의 이 가난한 지역은 이 지역에 거주하는 부모와 소비자들에게 패스트푸드의 문제점에 대해 교육하기를 원한다. 이것은 쉬운 일이 아니다. 패스트푸드는 싸고 일반적으로 맛이 매우 좋다. 오래된 습관은 없애기가 힘들다.

| 문제 해설 |

1 이 글은 패스트푸드가 처음 등장한 고대 시대와 오늘날의 패스트푸드에 대해 설명하는 글이므로 ⑤ '패스트푸드의 과거와 현재'가 주제로 가장 적절하다.
2 요즘의 패스트푸드와 관련해서 고비용이라고 언급한 부분은 없으므로 ②가 정답이다.
3 아시아에서 고대 패스트푸드는 국수 판매대에서 제공되었다라고 했으므로 ④가 일치하는 내용이다.
4 This는 앞 문장의 '부모와 소비자들에게 패스트푸드의 문제점에 대해 교육하는 것'을 가리킨다.

| 직독 직해 |

- 최초의 패스트푸드 판매대는 / 등장했다 / 고대 로마에서
- 아시아에서 / 고대 패스트푸드는 / 제공되었다 / 국수 판매대에서
- 오늘날 / 국가들은 전쟁을 벌이고 있다 / 패스트푸드에 대항하여

38 | Directing a Film p. 102

1 ①　2 ⑤　3 ②　4 ⑤

| 본문 해석 |

영화감독은 영화를 만드는 전반적인 과정을 추진한다. 제작자는 영화에 대한 최초의 아이디어를 가지고, 감독을 고용하며, 영화를 위한 돈을 마련할 수 있다. 그러나 감독은 실제 영화를 만든다. 감독은 영화의 대본을 스크린에 생명력을 불어넣는다. 그리고 그들은 예산 범위 내에서 이것을 해야만 한다.

감독은 영화 제작의 세 단계인 사전 제작, 제작, 그리고 후반 제작 모두에 관여한다. 사전 제작에서, 감독은 역할들을 연기할 적절한 배우들을 뽑는다. 그들은 또한 영화를 어떻게 촬영할지, 스튜디오 혹은 야외 촬영지 중 어디에서 촬영할지도 계획한다. 그들은 영화의 일원이 될 직원을 고를 수도 있다. 제작 과정 중에, 감독은 실제로 영화를 만든다. 여기서 그들은 배우들에게 서야 할 곳과 대본에 따라 연기할 방법을 말해 준다. 그들은 또한 카메라와 음향, 조명 그리고 장면들의 구도를 감독한다.

영화가 모두 촬영된 후에, 그 영화는 후반 작업으로 이동한다. 이는 상영을 위해 준비되도록 영화를 다듬는 것을 의미한다. 영화의 음향 레벨이 조정되고, 음향 효과가 추가되고, 시각 효과가 포함될 수 있다. 마지막으로, 영화는 장면들이 순조롭게 하기 위해서 길이는 편집이 된다. 이 모든 것을 하기 위해 많은 직원을 두지만, 감독은 거기서 모든 것을 감독한다. 결국, 대중은 잘 만들어진 영화에 대해 감독을 인정한다.

| 문제 해설 |

1 이 글은 영화를 제작하는 데 있어 영화감독이 하는 역할에 대해 소개하고 있으므로 ①이 글의 목적으로 가장 적절하다.

2 initial은 '최초의, 원래의'라는 뜻이므로 ⑤ original(최초의, 본래의)이 의미상 가장 가깝다.
① 적절한 ② 신중한 ③ 명확한 ④ 놀라운

3 영화를 위한 돈을 마련하는 것은 영화 제작자의 역할이므로 ②가 사실과 다르다.

4 빈칸 뒤의 내용을 보면 영화의 후반 작업인 편집에 대해 이야기하고 있으므로, 빈칸은 영화를 '다듬는 것'을 뜻하는 ⑤ polishing up이 가장 적절하다.
① 기르는 것 ② 밀어 올리는 것 ③ 폭파하는 것 ④ 후원하는 것

| 직독 직해 |

- 영화감독은 추진한다 / 전반적인 과정을 / 영화를 만드는
- 그들은 또한 고를 수 있다 / 직원을 / 영화의 일원이 될
- 영화는 편집된다 / 길이는 / 장면들이 순조롭게 하기 위해서

39 | Dying to Be Thin p. 104

1 ②　2 ③　3 ②
4 체중이 느는 것을 극도로 두려워하기 때문에

| 본문 해석 |

(B) 때때로 텔레비전을 지나치게 많이 보고, 영화에 등장하는 결점이 없는 배우를 보고, 번쩍거리는 패션 잡지를 읽는 것은 일반 사람에게 열등감을 조장한다. 사람들은 자기 자신이 못마땅할 때 굶거나, 지나치게 운동을 많이 하거나, 화장을 지나치게 두껍게 하는 것처럼 때때로 이상한 행동을 한다. 극단적인 경우에는 섭식 장애를 일으킬 가능성이 있는데, 이는 생명에 위협이 될 수 있다.

(A) 가장 흔한 섭식 장애 중 하나는 거식증이다. 거식증에 걸린 사람들은 체중이 느는 것을 극도로 두려워해서 명료하게 생각하지 못한다. 그들은 음식물 섭취를 제한한다. 때때로 전혀 먹지 않는다. 그들은 운동을 지나치게 많이 한다. 과식증은 또 다른 흔한 섭식 장애이다. 거식증과는 달리 과식증에 걸린 사람들은 지나치게 많이 먹기 시작하지만, 먹고 난 후에 먹은 것을 스스로 토하게 만든다.

(C) 거식증이나 과식증에 걸린 사람들은 체중이 정상 체중의 85퍼센트 미만이 될 정도로 위험한 지경까지 마를지도 모른다. 그들은 피부와 입술이 마르고, 머리카락은 가늘어지고, 치아가 상하고, 피부는 창백하고, 눈은 움푹 들어가고, 몸에 털이 과도하게 자란다.

거식증과 과식증 모두 심각한 신체적이고 심리적인 문제를 야기시킨다. 거식증과 과식증은 심장 질환, 탈수증, 현기증을 일으킬 수 있고, 나중에 불임을 유발할 수 있다. 여성이 남성보다 섭식 장애를 일으킬 가능성이 크기는 하지만, 남성 또한 영향을 받을 수 있다.

| 문제 해설 |

1 거식증에 걸린 사람은 운동을 지나치게 많이 한다고 하였으므로 '지나친 운동을 피한다'는 ②의 내용은 사실과 다르다.

2 flawless는 '결점이 없는'이라는 뜻이므로 ③ perfect가 의미상 가장 가깝다.
① 절름발이의 ② 결점이 있는 ④ 성실한 ⑤ 유리한

3 문단 (B)에 최초로 '섭식 장애'가 등장하므로 이어지는 문단은 '섭식 장애'의 종류인 거식증과 과식증을 설명하는 (A)가 적절하다. 그리고 거식증과 과식증에 걸린 사람들의 외모적 특성을 나타내는 문단 (C)가 오면 글의 흐름이 자연스럽다. 따라서 정답은 ② (B) - (A) - (C)이다.

4 거식증에 걸린 사람들은 체중이 느는 것을 극도로 두려워해서 명료하게 생각하지 못한다고 하였다.

| 직독 직해 |

- 하나는 / 가장 흔한 섭식 장애 중 / 거식증이다
- 거식증과는 달리 / 과식증에 걸린 사람들은 / 먹기 시작한다 / 지나치게
- 그것들은 일으킬 수 있다 / 섭식 장애를 / 생명에 위협이 될 수 있는

40 | Disaster from Below p. 106

1 ② 2 ④ 3 ⑤ 4 ⑤

| 본문 해석 |

2004년에 인도양에서 발생한 지진은 이른바 해저 거대 지진으로 불린다. 이 비극적인 지진은 섭입(지구의 표층을 이루는 판이 서로 충돌하여 한쪽이 다른 쪽의 밑으로 들어가는 현상)이라 불리는 과정에 의해 일어났다. 지질학에서는 판이 만날 때 판 하나가 지구의 맨틀 밑으로 가라앉는다고 배운다. 지구에는 판이 만나는 장소가 많은데, 당연히 이들 장소가 지진과 화산으로 유명하다.

2004년의 그 엄청난 지진은 오랫동안 잠잠했던 지역에서 발생했다. 이 지진이 발생했을 때, 역사상 가장 치명적인 자연재해 중 하나인 지진 해일이 일어나 14개국의 23만 명의 목숨을 앗아갔다. 인도네시아, 스리랑카, 인도, 태국의 해안 도시를 강타한 엄청나게 높은 파도로 인해 사람들이 목숨을 잃었다. 이는 여태껏 기록된 지진 중 두 번째로 큰 지진이었고 다른 어떤 지진보다 오래 지속되었다.

지진이 발생하고 난 후, 지구는 며칠, 몇 주, 때로는 몇 달 동안 계속 진동한다. 이런 진동을 여진이라 부른다. 2004년 지진이 발생한 후에 3~4개월 동안 매일 여진이 발생했다. 지진과 여진은 매우 강력해서 화재, 화산, 건물 붕괴를 일으킬 수 있다. 2004년 지진 해일의 한 가지 긍정적인 결과로, 현재 전 세계 해안 도시 대부분이 지진과 그에 따른 지진 해일이 발생할 때를 대비한 대피 계획을 세워 놓고 있다.

| 문제 해설 |

1 두 번째 문단은 지진으로 발생한 지진 해일에 의한 피해 상황을 설명하고 있으므로 ② '지진으로 발생한 지진 해일'이 주제로 가장 적절하다.

2 (A)는 판이 만날 때 판 하나가 지구의 맨틀 밑으로 '가라앉는다'는 내용이 와야 적절하고, (B)는 지구에는 판이 '만나는' 장소가 많다는 내용이 되어야 글의 흐름이 자연스럽다. 따라서 ④ sinks(가라앉다), meet(만나다)가 정답이다.
① 분리하다, 상호작용하다 ② 덮다, 부서지다 ③ 붕괴하다, 의사소통하다 ⑤ 녹다, 사라지다

3 지진으로 발생한 지진 해일이 14개국의 23만 명의 목숨을 앗아갔다고 하였지 지진 이후의 여진이 23만 명의 목숨을 앗아갔다는 내용은 없다. 따라서 ⑤가 일치하지 않는 내용이다.

4 이 글은 2004년에 인도양에서 발생한 지진에 대해 설명하고 있으므로 ⑤ informative(정보를 제공하는)가 적절한 어조이다.
① 서사체의 ② 시적인 ③ 냉소적인 ④ 설득적인

| 직독 직해 |

- 이 비극적인 지진은 / 일어났다 / 과정에 의해 / 섭입이라 불리는
- 그것은 하나였다 / 가장 치명적인 자연재해 중 / 역사상
- 현재 해안 도시 대부분이 / 전 세계의 / 대피 계획을 갖고 있다

Review Test (37~40) p. 108

1 ⑤ 2 ③ 3 tragic
4 supervise 5 comfort 6 ②
7 the larger → the largest
8 when to holding → when to hold
9 You cannot walk outside without seeing a McDonald's.
10 Women are more likely than men to develop eating disorders.

| 문제 해설 |

1 appeared는 '나타났다'의 의미로 ⑤ vanished(사라졌다)가 반대말이 된다.
[토끼 한 마리가 나무 뒤에서 나타났다.]
① 접근했다 ② 공격했다 ③ 잤다 ④ 보여 줬다

2 intense는 '격한, 심한'이라는 의미로 ③ moderate(적당한)가 반대말이 된다.
[그는 심한 추위로 떨면서 서 있었다.]
① 흔한 ② 극한의 ④ 끔찍한 ⑤ 강력한

[3~5]

| 보기 | 감독하다 열등함 안락함 비극적인 적당한

3 그 영화 이야기는 너무 비극적이어서 많은 사람들을 울게 만들었다.

4 관리인의 임무는 건물의 건축을 감독하는 것이다.

5 팔걸이의자는 안락함과 편리함을 제공한다.

6 ②의 itself는 '그 자체로'라는 의미로 생략해도 문장 구조에 지장을 주지 않는다. 나머지는 목적어로 쓰인 재귀적 용법이므로 생략될 수 없다.
① 다른 사람들을 사랑하기 전에 스스로를 사랑하는 법을 배워라.
② 영화 자체는 좋지만 배우들은 마음에 들지 않았다.
③ 어제 나는 넘어져서 다쳤다.
④ 그 기계는 사용되지 않으면 스스로 꺼진다.
⑤ 그녀는 중국어와 스페인어를 독학했다.

7 '가장 ~한 것 중 하나'라는 의미로 [one of the 최상급]을 사용한다.
[인도는 세계에서 가장 큰 나라들 중 하나이다.]

8 [의문사 + to부정사]는 하나의 명사처럼 쓰일 수 있다. '언제 그 행사를 개최할지'라는 의미가 되어야 하므로 when to hold가 되어야 한다.
[우리는 그 행사를 언제 개최할지 의논할 것이다.]

Workbook answers

Unit 01

01 Mystery from the Seas

A

1	소유, 소유물	7	escape
2	단서	8	artifact
3	정확한	9	identity
4	시대	10	empire
5	파괴하다	11	major
6	패배	12	tribe

B

1 Jennifer is said to be working as a teacher now.
2 Given his short experience as an actor, he acted the role very well.
3 The problem is that no one knows where the event is held.

C

| 보기 | 기록 문서 | 패배한 | 미스터리 | 지중해의

The Sea People around 1200 BC attacked the major powers in the Eastern Mediterranean region. They destroyed the Hittite Empire but were defeated by Egypt. There are few historical records so their exact identity remains a mystery.

02 Mass Culture

A

1	채택하다, 취하다	7	attitude
2	안정적인	8	clothes
3	구식의	9	reflect
4	지금의, 현재의	10	available
5	지속적인	11	common
6	진가를 알다; 이해하다	12	deal with

B

1 Mark Anderson, an Olympic gold medalist, is retiring next month.
2 The new model is easy to use whereas the old model is not.
3 She is no longer what she used to be.

C

| 보기 | 교육 | 주류의 | 불변의 | 이전의

Pop culture is the culture of mainstream society found in movies, songs, clothes and social media. High culture is not widely available like pop culture and requires lots of experience, training, and reflection. Folk culture doesn't change like pop culture and belongs to an earlier age.

03 The Color Purple

A

1	구입하다	7	release
2	다친, 부상을 입은	8	medieval
3	화려하게	9	rare
4	과시하다	10	dye
5	훈장; 장식	11	shell
6	왕의	12	obtain

B

1 The majority of Austin's inventions were used to commit many crimes.
2 My little sister is showing off her perfect skating skills.
3 The interesting game reached its peak of popularity in the 1970s.

C

| 보기 | 장식 | 화학자 | 보라색 | 인기 있는

Rare shells of red and blue were mixed to create purple dye in medieval times. Only a queen or king could purchase it for their robes. Then a chemist found a way to make the color purple in 1856 and it became popular.

04 Off the Chart IQ

A

1	천재	7	dinosaur
2	지능	8	estimate
3	~의 등급을 매기다	9	promptly
4	화학자	10	score
5	천부의 재능을 지닌	11	identify
6	수도; 자본	12	individual

B

1 The couple estimate that the repair will take one month.
2 She is going to go on a diet to become a fashion

model.
3 Her parents took her to the hospital for treatment.

C

| 보기 | 비슷한 | 개인 | 식별하다 | 세다 |

Elise Tan Roberts had an IQ of 156 which was similar to Albert Einstein's. She became the youngest member of Mensa International at the age of two. She could count numbers, name capitals, and identify triangles at a very young age.

Unit 02

05 Blanket of Pasta

A

1 층
2 굽다
3 끓이다, 삶다
4 밀가루, 가루
5 피하다
6 ~와 관련되다
7 recipe
8 save
9 stick to
10 bottom
11 recommend
12 mushroom

B

1 It is natural that you feel nervous about speaking in public.
2 I am not here to fight, but to ask some questions.
3 New York is associated with high skyscrapers and a busy life.

C

| 보기 | 모차렐라 | 구운 | 교차의 | 재료들 |

Lasagna has alternating layers of pasta sheets with layers of sauce in a deep dish. The ingredients can vary by the region in Italy and the sauce can be Ragu or Bechamel. The pasta sheets can be boiled before the dish is baked or not.

06 Throwing Away

A

1 유독한
2 목적지
3 엄격한
4 금지하다
5 쓰레기 매립지
6 소각로
7 leak into
8 chemical
9 ideal
10 release
11 waste
12 emission

B

1 That farm land is 15 acres, or about 60,700 square meters.
2 Each question on the test sheet is worth 3 points.
3 The new software is designed to help students improve their vocabulary.

C

| 보기 | 재활용된 | 예방된 | 태운 | 전자의 |

The world's electronic goods eventually become electronic waste or e-waste. Most electronics is not easily recycled and contain toxic heavy metals. E-waste in landfills can leak toxins and e-waste shipped to other countries can be burned in the open air.

07 Chinatown

A

1 남다, 머무르다
2 민족의
3 부유한, 부자의
4 이민, 이민자
5 상인
6 약, 마약
7 claim
8 artisan
9 urban
10 overcrowded
11 crime
12 region

B

1 He was the first K-pop male singer to enter the Chinese market.
2 More than half of the students use the computer program.
3 School is the place where we learn many things and make friends.

C

| 보기 | 명소 | 모여 있는 | 잘 알려진 | 이민 |

Chinese immigration to the US began in the mid 1800s during the California Gold Rush. These Chinese immigrants clustered in groups in neighborhoods called Chinatowns. The first and most well-known Chinatown was in San Francisco.

08 Underwater Forests

A

1 확장하다
2 십 년간, 수십 년
3 세우다
4 오염
5 산호초
6 번식하다
7 rainforest
8 planet
9 creature
10 skeleton
11 consequence
12 aquatic

B

1 Your hat is very similar to mine in shape and color.
2 It took three years for the scientists to figure it out.
3 We have to study new ways to promote our products.

C

| 보기 | 수십 년　서식 동물들　집　열대 우림들

Coral reefs are the rainforests of the ocean. They are created by tiny sea creatures and take decades or centuries to form. These coral reefs provide a home to countless species of fish, but are suffering from environmental pollution.

Unit 03

09 Great Apes

A

1 기부하다
2 다친, 부상한
3 직면하다
4 위협
5 영장류
6 거대한
7 climb
8 observe
9 swing
10 hang
11 feed
12 weigh

B

1 These animals like to spend most of their time near the river.
2 Do you need someone to look after your rabbits?
3 Lily wants to be a volunteer at the public library.

C

| 보기 | 가장 큰　멸종 위기의　영장류　고아가 된

The orangutan is the largest animal that lives in the trees. These red-haired primates live on Sumatra and Borneo in Indonesia but are endangered. The Sepilok Rehabilitation Center on Borneo helps orangutans who are sick or injured.

10 A Sip of Tea

A

1 평가하다
2 평균 이상의, 부자의
3 홀짝홀짝 마시다
4 정확한
5 산물
6 혀
7 oxygen
8 spit
9 identify
10 unpredictable
11 professional
12 vary

B

1 It took about a month for me to finish the science fiction novel.
2 Max will enter the music school whether or not his parents approve.
3 You need to get familiar with how you operate the machine.

C

| 보기 | 의사소통　수요　멘토　맛

A professional tea taster judges the quality and taste of a tea sample. It takes more than five years to become one, at first under an experienced mentor. The job requires traveling to different countries, good communication skills, and a knowledge of the tea industry.

11 Geometric Clouds

A

1 ~의 둘레를 돌다
2 안정적인
3 암석이 많은
4 지형, 지세
5 우주선
6 당황하게 하다
7 swirl
8 band
9 planet
10 hexagon
11 last
12 continent

B

1 We have prepared meals, but no guests have arrived yet.
2 Ryan wants to travel alone, without any friends or family.
3 It remains to be seen whether or not Grace will keep her promise.

C

| 보기 | 시뮬레이션　남쪽　기하학적인　모양

The Saturn Hexagon is a hexagon shape of clouds at Saturn's north pole. The south pole does not have it and it is not found on any other planet. Scientists have created it on computer simulations but it remains to be seen if it really explains it.

12 The Youngest Ever

A

1 숨은
2 잠재성
3 추구하다
4 젊은이; 젊음
5 엄청난
6 외모, 겉모습
7 career
8 buzz
9 award
10 election
11 demonstrate
12 unusual

B

1 When Sophie was offered this job, her friends congratulated her.
2 Most young people enjoy using social media such as blogs.
3 There are so many unique shops they want to visit in Paris.

C

| 보기 | 가장 어린 잠재력 감독하다 유명한

Chaille Stovall is Hollywood's youngest film director. He became famous for filming documentaries. He demonstrates the tremendous artistic potential of children.

Unit 04

13 National Fruit

A

1 ~에 걸치다
2 포함하다
3 중앙의
4 단단한
5 핵, 씨
6 껍질
7 edge
8 texture
9 tropical
10 flesh
11 vary
12 avoid

B

1 The stadium which is the largest in the city can seat up to 100,000 people.
2 Finish your homework first, or I will not let you watch TV.
3 Primitive people made clothes using animals' fur and bone needles.

C

| 보기 | 건강하지 않은 ~원산의 자르기 알레르기가 있는

Mangoes are a popular tropical fruit native to South Asia but grown in East Asia and East Africa for thousands of years. You can eat a mango by slicing it in half or placing cubes of it in a fruit salad. Some people have an allergic reaction to mangoes and you should always wash them before eating.

14 Leaving Cuba

A

1 출발
2 간신히
3 시도하다
4 영구적인
5 경제의
6 정치적인
7 coastline
8 predator
9 whole
10 military
11 suspect
12 exhausted

B

1 His mother didn't decide what to prepare for dinner.
2 My grandmother suspected the man wasn't a qualified dentist.
3 Even though Tyler was very old, he won the race.

C

| 보기 | 실패했다 성공했다 떠나다 의심했다

Jose wanted to leave his country of Cuba and swim to the US. His first attempt failed when he was caught by the Cuban police. After five years of hard training, he finally succeeded.

15 Staying Young

A

1 우울증
2 동맥
3 감소하다
4 ~하는 경향이 있다
5 정상적인
6 일상적인 일
7 loneliness
8 sharp
9 wrinkle
10 stiff
11 excessive
12 active

B

1 Many schools were canceled due to the heavy snowfall.
2 It is believed that there is a creature called Bigfoot in

America.
3 The repair job is expected to take at least two weeks.

C

| 보기 | 감퇴 육체의 정신적으로 수면

When we got older, we face physical and mental decline. We might also get high blood pressure, but exercise, a healthy diet, and enough sleep can help. Doing these things along with staying socially active also help us stay mentally sharp.

16 Submarine Volcano

A

1	폭발, 분출	7	crust
2	얼다	8	seafloor
3	분석하다	9	frigid
4	떠다니다	10	lava
5	장엄한, 화려한	11	submersible
6	지질학자	12	volcano

B

1 I cannot understand Spanish well, much less speak it.
2 We are confident that he will like our new product.
3 There were many people who witnessed the accident.

C

| 보기 | 물속의 떠다니다 얼었다 로봇

Scientists in 2009 filmed for the first time the world's deepest underwater volcano. It is 1,200 meters below sea level near Samoa in the Pacific Ocean. The lava froze as soon as it hit the frigid seawater and the submersible robot collected lava samples.

Unit 05

17 Safety on the Ice

A

1	장비, 용구	7	chest
2	방어하다, 지키다	8	concern
3	추가의	9	blade
4	부딪치다, 충돌하다	10	protect
5	목록	11	shin
6	팔꿈치	12	include

B

1 Deeply impressed were the tourists when they saw the northern lights in the sky.
2 The couch as well as the team is satisfied with the game.
3 E-learning enables us to learn anytime, anywhere.

C

| 보기 | 관중 가림막 안전 헬멧들

Ice hockey more than most sports has a lot of safety equipment. The ice rink has shielding to stop the puck and to stop players from falling on top of spectators. Players wear protective equipment such as helmets, mouth guards and pads.

18 Suing Animals

A

1	선언하다	7	arrest
2	법원, 법정	8	legal
3	격노한	9	sue
4	주민, 거주민	10	execute
5	소송, 고소	11	represent
6	수여하다	12	mosquito

B

1 The university athletes clearly showed that they were furious.
2 The computer that she is using belongs to the library.
3 All of them may seem to be brown, but they are not.

C

| 보기 | 모기들 누웠다 고소했다 농작물

People in medieval France sued animals for destroying crops or biting them. French families in 1545 sued weevils for eating their crops and won the case. A small town in southern France sued mosquitoes and the judge ordered the mosquitoes out of town.

19 Pyramid Temples

A

1	고대의, 오래된	7	glitter
2	천문학	8	observatory
3	장관의, 화려한	9	height
4	정교한, 세련된	10	shiny

5 걸작, 명작
6 방어적인
11 collapse
12 pottery

B

1 They use a special way to make strong shoes.
2 Lucas has been recognized as the world's best player by FIFA.
3 No one is certain that what led her to become an actress.

C

| 보기 | 사원들 건축 언어 문명

The ancient Mayans of Central America had a great civilization. Their advanced cities were designed around pyramid-shaped temples. Mayan civilization is studied today and their language is still spoken.

20 Private Eye

A

1 탈출하다
2 행동
3 재능
4 결합하다
5 실시, 집행
6 감옥
7 criminal
8 disguise
9 possession
10 absolute
11 concept
12 detective

B

1 A red–haired man robbed the traveler of his car key and money.
2 Yesterday my little brother got caught reading my diary secretly.
3 Young people of the town had no trouble finding jobs.

C

| 보기 | 개념 범죄자 행동 탐정

The first modern private detective was Eugene Francois and not Sherlock Holmes. He was a master criminal but later helped catch over 800 thieves. He lived among criminals and understood their behavior.

Unit 06

21 Mammalian Milk

A

1 상업; 무역
2 중용, 절제
3 수많은; 1만의
4 연장하다
5 미생물
6 불포화한
7 viable
8 source
9 opaque
10 feed
11 nutrition
12 antibody

B

1 This donation will be used for medical purposes.
2 The boss wanted the best result regardless of the cost.
3 We need to extend the deadline for another week.

C

| 보기 | 저온 살균 유통 기한 소비자 낙타들

Milk can feed a baby but also be made into ice cream, yogurt, cheese, butter and whipping cream. Not only cattle and buffalo but horses, sheep, goats yaks, and camels provide milk for the milk industry. Pasteurization and homogenization allows milk and milk products to have a longer shelf life.

22 Being a Reporter

A

1 무시하다
2 직업; 기술
3 특성, 자질
4 만족할 줄 모르는
5 이익을 얻다
6 확장하다
7 viable
8 outlet
9 competition
10 intelligence
11 gathering
12 embellish

B

1 It is not necessary to take down everything the lecturer says.
2 Freedom of expression is part and parcel of modern society.
3 The hardships and sufferings were beyond their imagination.

C

| 보기 | 객관성 지능 경쟁 보도

Reporting the news requires several qualities in a

reporter. One is general intelligence and another is curiosity about the world. Others are objectivity in reporting and a general understanding of the subject being reported.

23 The Instructions to Life

A

1 전체의
2 ~을 지도로 나타내다
3 현재는
4 구별되는
5 공유하다
6 매우 중대한
7 identical
8 evolution
9 feature
10 gene
11 organism
12 molecule

B

1 I've watched all of the *Star Wars* movies and they were all exciting.
2 The songs on his new album were a lot sadder than expected.
3 The Black Death, which killed 50 million people, changed European society.

C

| 보기 | 독특한 단백질 같은 휴면의

Human DNA is 99.9% the same in everyone but the few differences make us all unique. Every organism has many similar genes because the proteins made from DNA are used by all living things. Scientists are mapping the DNA of many organisms these days.

24 Conifer Cones

A

1 ~을 수정시키다
2 수분
3 거친
4 튼튼한
5 확산, 증식
6 씨앗
7 reproductive
8 fragile
9 pollen
10 organ
11 subsequent
12 potential

B

1 While some people have black eyes, others have brown eyes.
2 The walls of the house are covered with elaborate carvings.
3 It is very important to distinguish good from evil.

C

| 보기 | 모습 ~을 수정시키다 생식의 꽃가루

The reproductive structure of a conifer is called a cone. The male cone produces pollen grains carried by wind, insects or birds to the female cone. Once the pollen fertilizes an ovule, it develops inside the female cone until it is mature.

Unit 07

25 Overseeing a Match

A

1 처벌, 페널티
2 행동하다
3 적절한
4 결정하다, 결심하다
5 취소하다
6 알리다, 통보하다
7 blow
8 injured
9 foul
10 smoothly
11 commit
12 offensive

B

1 They are discussing how to organize the event.
2 I'm always amazed by children being able to acquire language quickly.
3 If air pressure is high, the sky is usually sunny and clear.

C

| 보기 | 교체 심판들 셋의 중요성

Soccer referees are responsible for the game running smoothly and safely. Important soccer games can have up to three assistant referees. They assist the head referee in watching for fouls such as offside and notifying of substitutions.

26 Cradle of Civilization

A

1 눈에 보이는, 명백한
2 양상, 외관
3 세우다, 짓다
4 채택하다
5 지혜
6 화려하게 장식한
7 arch
8 embellish
9 influence
10 democracy
11 civilization
12 conquer

B

1 That's why Victoria decided to help her friends.
2 This new comic book series will be composed of six books.
3 The scandal widely spread from person to person.

C

보기	퍼지다	기술	사상가들	영향

We can see the influence of ancient Greek civilization in modern democracy, in modern buildings, and in the Olympics. Greece had great thinkers such as Aristotle and Homer and elaborate buildings. Greek culture continued to spread even after the Romans conquered them in 150 BC.

27 A Good Night's Rest

A

1 극단적인
2 회복시키다
3 관절
4 폐
5 휴식하다
6 분명히 보여주다
7 muscle
8 fluid
9 spine
10 diabetes
11 state
12 obesity

B

1 Not eating meat may have some good effects, but is bad for your bones.
2 The moon has its own gravity, and it pulls the ocean towards the moon.
3 When winter comes, animals like bears and snakes start to hibernate.

C

보기	거리	성장	건강한	정신이 초롱초롱한

Sleep does a lot to keep us healthy and safe. It cleans our brains, rests our hearts and lungs, and releases growth hormones to rebuild our bodies. Adequate sleep also helps us stay alert and have faster reaction times.

28 Nikpai's Dream

A

1 신속한, 빠른
2 열광적인
3 패배시키다
4 가혹한; 거친
5 나아가다
6 지휘대, 단
7 refugee
8 athlete
9 tribute
10 pride
11 obvious
12 crowd

B

1 Camilla worked so hard that she finally became a professor last year.
2 It is obvious that his successor will feel a heavy burden.
3 They had the opportunity to defeat another powerful enemy.

C

보기	동메달	선수권 대회	최초의	훈련받았다

Rohullah Nikpai was Afghanistan's first Olympic medal ever. He won bronze in taekwondo at the 2008 Beijing Olympics. His family lived in a refugee camp and he trained with other refugees.

Unit 08

29 The Human Diet

A

1 복잡성
2 증거, 근거
3 나머지, 잔여물
4 함유, 포함
5 고고학자
6 쌀; 벼
7 rye
8 grain
9 prehistoric
10 wheat
11 venture
12 consumption

B

1 How long are you planning to stay at the hotel?
2 It appears to be the result of his wrong decision.
3 In many places of the world, the animal is considered lucky.

C

보기	곡물	식단	증거	기술적인

Research says humans have been eating grains for more than 100,000 years. This is based on evidence found in a limestone cave in Mozambique. It means that early humans had the technical complexity to turn grain into staples.

30 Far from the Big City

A

1 ~을 홀짝홀짝 마시다
2 공연
3 ~의 특징을 이루다
4 배회하다
5 고대의
6 붐비는
7 architecture
8 flock
9 disappointed
10 illegally
11 numerous
12 wonder

B

1 While some of his movies are excellent, others have weak plots.
2 The politician is sure to make mistakes during his / her speech.
3 The CEO has been criticized for his poor management style.

C

보기	폭포들	명소	관광	축제

Croatia sits directly across from Italy and has a long history of tourism. Dubrovnik is one attraction in the country and is described as the "pearl of the Adriatic." Another attraction is the Plitvice Lakes which has waterfalls, caves, forests, trails, and paths.

31 Culture of Bravery

A

1 성인기
2 덩굴
3 의식
4 특징, 특성
5 장벽
6 특별한
7 confident
8 capability
9 break through
10 therapy
11 wrap
12 feat

B

1 The small insect is well-known for its amazing camouflage.
2 The study included elderly men living in Korea and Japan.
3 There is no need to emphasize the value of this novel.

C

보기	번지 점프	성인기	자신 있는	한계

The Maori of New Zealand have rites of passage into adulthood that prove courage. Maori teenage boys bungee jump off a mountain or take a death-defying boat ride. We can all learn from this Maori practice to become more confident and stronger.

32 Snow at the Equator

A

1 화산의
2 정상
3 소
4 빙하
5 단독으로 서 있는
6 열대 지방
7 sea level
8 slope
9 extinct
10 soil
11 permanent
12 all year round

B

1 The number of students attending this college is close to 10 million.
2 A whisk is a tool used for mixing air into eggs or cream.
3 The lake started melting, and the ice may be too thin to walk on.

C

보기	화산의	빙하	가장 높은	적도

Mount Kilimanjaro in Tanzania is the tallest mountain in Africa at 6,000 meters. It is almost exactly on the equator but has snow and ice at the top all year round. The slopes have volcanic soil to grow crops and rain to form small rivers.

Unit 09

33 Temples in the Forest

A

1 수도승
2 버림받은
3 ~로 여겨지다
4 엄격히
5 가치; 장점
6 위치, 장소
7 comparable
8 notable
9 capital
10 annual
11 kingdom
12 robe

B

1 Despite the fine weather, not many people are out.
2 With soft music playing on the radio, he was relaxing in the armchair.
3 The Great Pyramid of Giza is one of the oldest constructions in the world.

C

보기	침략	명소	불교의	유명한

Bagan in Myanmar has the world's greatest collection of Buddhist temples. Marco Polo once wrote about it but the Mongol invasions let the city abandoned. The Ananda Temple is one of the most famous of the approximately 2,000 structures still remaining.

34 All Aboard

A

1	식사	7	cuisine
2	배달하다	8	surroundings
3	밀접하게	9	compartment
4	풍경, 경치	10	luxurious
5	~행이다	11	route
6	숭고한, 고상한	12	meal

B

1 The origin of the word dates back to ancient times.
2 We added some ingredients in it to make it more delicious.
3 This technology has been used for 70 years on the Asian continent.

C

| 보기 | 능가하다 호화로운 승객 소설들

The Orient Express a long distance passenger train known for luxurious travel. It started in 1883 when it left Paris bound for Romania via Munich and Vienna. The service and surroundings outdo the finest hotels and it's been used as background in novels and movies.

35 Theories about Dreams

A

1	가장	7	divine
2	풀다, 해결하다	8	random
3	측정하다	9	involvement
4	간접적인	10	supernatural
5	개입, 간섭	11	impact
6	영향; 충돌	12	attribute

B

1 The motorcycle is the major means of transportation in Vietnam.
2 The animal bones are thought to be about 2 million years old.
3 This new movie is based on a popular Internet novel.

C

| 보기 | 충격적인 심리학 의사소통 경험들

Many ancient societies considered dreams a supernatural communication whose message could be unraveled. Various schools of psychology have offered theories about the meaning of dreams. Some believe dreams are meaningless or a way for us to revisit experiences or emotions.

36 Dream Came True

A

1	산사태, 눈사태	7	feat
2	이익	8	bury
3	정복하다	9	continent
4	정상, 절정	10	strive
5	인내	11	alive
6	극복하다	12	bruise

B

1 Conducting an orchestra is not as easy as it looks.
2 This year, Sydney was chosen as the most livable city in the world.
3 My teacher has overcome many handicaps through yoga and meditation.

C

| 보기 | 약점 정상 꼭대기 눈사태

Junko Tabei was the first female to climb the summit of Mt. Everest. She had the dream to do so since she was 10 years old and succeeded in 1975. She was buried alive by an avalanche along the way but she made it to the top.

Unit 10

37 Quick and Easy

A

1	질병, 병	7	mixture
2	금지하다	8	consist of
3	나타나다, 출연하다	9	task
4	콩	10	noodle
5	안락, 편안	11	consumer
6	보행자, 도보 여행자	12	spice

B

1 I looked at the man with a mixture of surprise and anger.
2 The village's history is directly linked to the development of the university.
3 The government has banned the export of gold and silver for many years.

C

| 보기 | 건강한 고대의 건강하지 않은 가공한

Ancient fast food stands were formed in Rome, Asia, the Middle East, and India. They generally offered comfort food in a healthy manner. But today's fast food is unhealthy and some countries are fighting them.

38 Directing a Film

A

1	조정하다	7	stage
2	편집하다	8	include
3	예산, 재정	9	flow
4	전반적인	10	smoothly
5	고용하다	11	drive
6	제작	12	choose

B

1 You have to decide whom to target when you write a book.
2 It took four people to rearrange these pieces of furniture.
3 In junkyards, some auto parts are sold to be reused.

C

| 보기 | 촬영하다 감독하다 대본 관련시키다

A film director drives the process of creating a film from script to screen. In pre-production, they hire the actors, plan how and where to shoot, and choose the staff. During production they actually make the film and during post-production they supervise polishing up the film.

39 Dying to Be Thin

A

1	열등, 하위	7	dehydration
2	지나치게	8	stomach
3	음식을 토하다	9	sunken
4	격렬한, 극도의	10	kidney
5	이상, 장애	11	normal
6	영구적인	12	glossy

B

1 Trust is one of the most important parts of our lives.
2 Another common job for dogs is helping blind people.
3 Early detection will lead to more effective treatment.

C

| 보기 | 심리적인 거식증 열등 이상한

TV, movies, and magazines can foster a sense of inferiority in the average person. They may develop eating disorders such as anorexia or bulimia. Both are serious physical and psychological problems which can be life-threatening.

40 Disaster from Below

A

1	판	7	threat
2	터지다, 파열하다	8	adequate
3	표면	9	disaster
4	파괴	10	measure
5	과정	11	coastal
6	피난, 대피	12	massive

B

1 The writer learned that Jane made stories about the origin of the universe.
2 Three of the criminals were killed and the rest were captured.
3 The result of the soccer match was highly satisfactory.

C

| 보기 | 여진 가장 치명적인 대피 쓰나미

The 2004 Indian Ocean earthquake was one of the deadliest natural disasters in history. It produced a tsunami which killed 230,000 people in 14 countries. One positive result is that coastal cities now have evacuation plans.

THIS IS READING

전면 개정판

중등부터 고등까지 모든 독해의 확실한 해결책 !

★ 실생활부터 전문적인 학술 분야까지 **다양한 소재의 지문 수록**

★ 서술형 내신 대비까지 제대로 준비하는 **문법 포인트 정리**

★ 지문 이해 확인 또 확인, **본문 연습 문제 + Review Test**

★ 정확하고도 빠른 지문 읽기 **직독직해 연습**

★ 원어민의 발음으로 듣는 전체 **지문 MP3** (QR 코드 & www.nexusbook.com)

★ 확실한 마무리 3단 콤보 **WORKBOOK**

MP3 바로가기

초1	초2	초3	초4	초5	초6	중1	중2	중3	고1	고2	고3

Writing

- 공감 영문법+쓰기 1~2
- 도전만점 중등내신 서술형 1~4
- 영어일기 영작패턴 1-A, B · 2-A, B
- Smart Writing 1~2

Reading

- Reading 101 1~3
- Reading 공감 1~3
- This Is Reading Starter 1~3
- This Is Reading 전면 개정판 1~4
- 원서 술술 읽는 Smart Reading Basic 1~2
- 원서 술술 읽는 Smart Reading 1~2
- [특급 단기 특강] 구문독해 · 독해유형
- [앱솔루트 수능대비 영어독해 기출분석] 2019~2021학년도

Listening

- Listening 공감 1~3
- The Listening 1~4
- After School Listening 1~3
- 도전! 만점 중학 영어듣기 모의고사 1~3
- 만점 적중 수능 듣기 모의고사 20회 · 35회

TEPS

- NEW TEPS 입문편 실전 250⁺ 청해 · 문법 · 독해
- NEW TEPS 기본편 실전 300⁺ 청해 · 문법 · 독해
- NEW TEPS 실력편 실전 400⁺ 청해 · 문법 · 독해
- NEW TEPS 마스터편 실전 500⁺ 청해 · 문법 · 독해

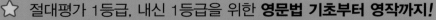